College Board Achievement Test

FRENCH

by

Rosalie Biezunski
Baccalauréat, Université de Paris (Sorbonne)
M.A., Columbia University
Dept. of French, John Adams High School
New York City Board of Education

and

Yvan Boisrond
Baccalauréat, St. Louis de Gonzague
B.S., Cornell University

Consultant
William Jassey, Ed. D., Columbia University
Director of Foreign Languages
Board of Education, Norwalk, Conn.

Edward C. Gruber, M.S., General Editor

ARC BOOKS, INC.
New York

PUBLISHED BY ARC BOOKS, INC.
219 Park Avenue South, New York, N.Y. 19003

Library of Congress Catalog Card Number:67-22818

Printed in the United States of America

Four Reasons for Using This Book

This book is designed to provide you with valuable practice material for the French College Board Achievement Test. Our claim—that you will get a higher rating if you use this book diligently and methodically—has both *educational* and *psychological* validity for these four reasons:

1. **YOU WILL KNOW WHAT TO STUDY**—You will do better on the test if you know what to study. The Sample Tests in this book offer you specific examples of the kind of material you should study.

2. **YOU WILL SPOTLIGHT YOUR WEAKNESSES**—In using this book, you will discover where your weaknesses lie. This self-diagnosis will enable you to study more systematically and effectively, since you will know in which areas you need to spend the most time.

3. **YOU WILL GAIN CONFIDENCE**—This book contains hundreds and hundreds of questions similar to those which you will encounter on the actual test. As you work with these questions, you will get the "feel" of the exam and, thus, build up your confidence. You will retain this confidence when you enter the examination room.

4. **YOU WILL ADD TO YOUR KNOWLEDGE**—"The learned become more learned." In going over the practice questions in this book, you should not be satisfied with understanding only the desired answer to a particular question. You should do additional research and look up explanations for the other answers given in a multiple-choice question. In this way, you will broaden your background and be better prepared, since it is very possible that there will be questions on these other choices in the exam.

Contents

PART 1

What You Should Know About the Achievement Tests

PART II

TEN SAMPLE FRENCH ACHIEVEMENT TESTS

Part I

What You Should Know About the Achievement Tests

Facts About The Tests

Importance For College Admission

Many of our nation's colleges insist that applicants take an Achievement Test. If you are applying to a school which requires an Achievement Test score, you should be aware of the fact that the results of the test will not be the sole factor in determining whether you will be admitted. Other factors come into play: your Scholastic Aptitude Test scores, your high school scholastic record, your standing in your graduating class, your grades in certain specific high school subjects, and the personal interview. It is obvious, however, that doing well in the Achievement Test may substantially increase your chances of being accepted by the college of your choice.

The Achievement Tests are administered throughout the world. Thousands take the exams annually. The College Entrance Examination Board (CEEB), which administers the tests, will send to the college admissions officer not only your score on the test you take, but also your percentile ranking. The latter tells how many test-takers did better than you and how many were inferior. It follows, therefore, that the admissions officer will consider very seriously your standing on the Achievement Test to determine how well you are likely to do in college work.

High School Marks Are Not Enough

With the steady increase of student enrollment in colleges throughout the country, some of these institutions are now rejecting considerably more applicants than they are accepting. These schools of advanced learning are, accordingly, becoming more and more selective in student admission. Since secondary schools have varying standards of grading, it is understandable that high school marks alone will not suffice in the effort to appraise objectively the ability of an undergraduate to do college work. An "A" in a course of Engllsh in High School X may be worth a "C" in High School Y. Moreover, it is an accepted fact that even the teachers within a high school may differ among themselves in grading techniques. The Achievement Test is highly objective. Consequently, it has become a *sine qua non* for many college admissions officers in order to predict success or lack of success for applicants.

NATURE OF COLLEGE ENTRANCE TESTS

The College Entrance Exams consist of the following parts:
1. Scholastic Aptitude Test (SAT)
2. Achievement Tests (ACH)

Scholastic Aptitude Test

The Scholastic Aptitude Test provides a measure of general scholastic ability. It is not an intelligence test nor is it, in the strict sense, an achievement test. It yields two scores: verbal ability and quantitative ability. Included in the test are verbal reasoning questions, reading comprehension questions drawn from and bordering on several fields, and various kinds of quantitative-mathematical materials, such as questions on arithmetic reasoning, on algebraic problems, and on the interpretation of graphs, diagrams, and descriptive data. The Scholastic Aptitude Test allows a total working time of three hours, plus time to collect and check test books, to answer questions, and to allow for a rest period.

If you are seeking preparation material for the Scholastic Aptitude Test, we recommend the book, *Practice for Scholastic Aptitude Tests.* (ARC,95 cents).)

Achievement Tests

Achievement Tests are given in the following subjects:

American History and Social Studies
Biology
Chemistry
English Composition
European History and World Cultures
French
German
Hebrew
Latin
Literature
Mathematics (Level I)
Mathematics (Level II)
Physics
Russian
Spanish

HOW QUESTIONS ARE TO BE ANSWERED

The following example will help you become familiar with the way in which answers are to be recorded.

30. Chicago is a
(A) state; (B) city; (C) country; (D) town (E) village

Sample Answer Spaces:

	A	B	C	D	E
30	‖	█	‖	‖	‖

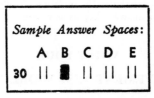

Note that the letters of the suggested answers appear on the answer sheet and that you *are to blacken the space beneath the letter of the answer you wish to give.*

HOW TO TAKE THE ACHIEVEMENT TEST

There is no reason to become disturbed if you find yourself unable to answer a number of questions in a test or if you are unable to finish. No one is expected to achieve a perfect score and there are no established "passing" or "failing" grades. Your score compares your performance with that of other candidates taking the test, and the report to the college shows the relation of your score to the scores obtained by other candidates.

Although the test stresses accuracy more than speed, it is important for you to use your time as economically as possible. Work steadily and as rapidly as you can without becoming careless. Take the questions in order, but do not waste time in pondering over questions which for you, contain extremely difficult or unfamiliar material.

Read the directions with care. If you read too hastily, you may miss an important direction and thus lose credit for an entire section.

Should You Guess on the Test?

Let us answer by saying that a percentage of the wrong answers is subtracted from the number of right answers as a correction for haphazard guessing. Mere guessing will not improve your score significantly; it may even lower your score, and it does take time. If, however, you are not sure of the correct answer but have some knowledge of the question and are able to eliminate one or more of the answer choices as wrong, guessing is advisable.

WHAT YOUR ACHIEVEMENT TEST SCORE MEANS

Your Achievement Test score will be reported on a scale ranging from 200 to 800. In other words, the lowest mark anyone can possibly get is 200-the highest 800. Your Achievement Test result will be sent to your high school and to the college (or colleges) which you designate.

The Achievement Test score is generally reduced to a percentile ranking. The 1 percent group that gets the best score on a test is in the 99th percentile; the group that ranks just one-fourth of the way from the top is in the 75th percentile, the group that ranks just in the middle is in the 50th percentile; and the group that is inferior to 90 percent of the applicants is in the 10th percentile. For many tests, these norms are based on national averages or regional averages, as for the New England states or the Mid-Western states. On most college entrance tests, norms are determined and published several months after the college year begins and are based on the experience of all colleges. However, as these tests are very similar from year to year, an admissions board can easily determine the relative standing of any candidate immediately after he takes the test.

APPLYING FOR THE EXAMINATION

REGISTRATION

Every candidate is required to file a formal application with the College Entrance Examination Board, and to pay an examination fee. Fill out the application completely, and send it with the fee to Box 592, Princeton, New Jersey, or Box 1025,Berkeley 1, California. You are permitted to take a maximum of three Achievement Tests in an afternoon session (or two Achievement Tests and the Writing Sample).

ADMISSION TICKETS

You will be sent a ticket of admission giving the exact address of the place to which you should report for assignment to an examination room. Do not expect to receive your ticket until approximately one month before the examination date. You will be required to show your ticket to the supervisor at the examination. Normally, no candidate will be admitted to the examination room without his ticket of admission.

A candidate who loses his ticket should immediately write or wire the issuing office for a duplicate authorization.

RULES FOR CONDUCT OF EXAMINATIONS

No books, slide rules, compasses, rulers, dictionaries, or papers of any kind may be taken into the examination room; you are urged not to bring them to the center at all. Supervisors will not permit anyone found to have such materials with him to continue a test. Anyone giving or receiving any kind of assistance during the test will be asked to leave the room. His testbook and answer sheet will be taken from him and returned to the institutions designated to receive the score report.

Scratch work may be done in the margins of the testbooks, the use of scratch paper is not permitted.

You must turn in all testbooks and answer sheets at the close of the examination period. No test materials, documents, or memoranda of any sort are to be taken from the room.

If you wish to leave the room during a test period or during a test, you must secure permission from the supervisor.

The examinations will be held only on the day and at the time scheduled. Be on time. Under no circumstances will supervisors; honor requests for a change in schedule. You will not be permitted to continue a test or any part of it beyond the established time limit. You should bring a watch.

To avoid errors or delay in reporting scores:

1. Always use the same form of your name on your application form, you answer sheets, and on any correspondence with CEEB. Do not write "John T. Jones, Jr." one time, and J. T. Jones" another. Such inconsistency makes correct identification of papers difficult.

2. Write legibly at all times.

TRANSMITTING THE RESULTS

The colleges that you designate will receive a report of your scores directly from CEEB. You may have your scores reported to as many as three colleges without additional fee, provided you designate them in the appropriate place on your application. After registration closes, you may not substitute for, or delete, institutions already listed on your application. No partial reports will be issued; reports will include scores made on all tests taken on a given date. To avoid duplication of requests, you should keep a record of the institutions to which you have requested that scores be sent.

Score reports requested on the application or by letter before the closing date will be issued within five weeks after your examination date. Although score reports requested after the closing date cannot be sent as quickly, they will be issued as soon as possible.

The Achievement Test In French

WHAT THE TEST COVERS

The College Board Achievement Test in French has a time limit of one hour. It contains about 100 questions.

Students with only two years of French should be able to answer a good number of the questions. However, there are some relatively difficult questions that are directed to those students who have taken French for three or four years.

The question-types may vary from test to test. That is to say, you may have certain kinds of questions on your test--at the next administration, there may be one or two other types. By and large, however, the format of the questions has been fairly consistent in recent tests.

Following is a French Achievement "Mini-Test" which will give you an idea of the types of questions likely to appear on the actual examination.

FRENCH ACHIEVEMENT "MINI-TEST"

Time: 10 minutes

Usage Type [A]

(Select the Incorrect Choice)

Directions: Each question contains a sentence part of which is underlined. From the five choices, select that choice which, grammatically, could not properly replace the underlined word or words of the original sentence.

1. Dites-moi donc <u>où vous habitez</u>.
   (A) qu'elle n'est pas partie
   (B) si vous voulez la revoir
   (C) ne rien dire
   (D) qui vous êtes, petite inconnue
   (E) à qui j'ai l'honneur de parler

2. Ce n'était qu'un tout petit navire qui fit naufrage.
   (A) et elle avait sombré
   (B) mais il avait beaucoup navigué
   (C) mais qu'il était pimpant
   (D) et il n'avait pas d'équipage
   (E) au pont reluisant

Usage Type [B]

(Select the Correct Choice.)

Directions: Each sentence or brief paragraph contains blank spaces. Under each blank space there are five choices. Select that choice which fits in correctly with the context of the sentence or paragraph.

3. Certains hommes ________ refusent un meilleur poste car ils craignent les responsabilités.
   (A) malades
   (B) de droite
   (C) peu intelligents
   (D) timides
   (E) heureux

   leur poste craignent les responsabilités.

4. ________ lui, il faut souffrir un peu.
   (A) Accordant
   (B) D'un côté
   (C) Chacun
   (D) Pour peu
   (E) Selon

Situation Type

Directions: In each question, a situation is first presented. Select from the five choices that follow, that choice which is the most appropriate response to the situation given.

5. Charlotte s'est égarée. Elle dit au passant:
   (A) j'ai des cigarettes
   (B) je veux garer ma voiture
   (C) j'ai perdu mon chemin
   (D) j'ai perdu la tête
   (E) Dieu vous garde

6. Chateaubriand arrive à la gare avec une heure d'avance. L'employé lui dit:
   (A) Par ici la sortie.
   (B) Rentrez chez vous.
   (C) Fermé le dimanche.
   (D) Ouvert le dimanche.
   (E) allez à la salle d'attente.

Vocabulary Type

Directions: Each question contains a sentence with a blank space. Choose the word or phrase that fits best into the blank space of the sentence.

7. Quel danger __________ les troupeaux de bisons?
   (A) effraye
   (B) prétend
   (C) menace
   (D) risque
   (E) comprend

8. La Fondation __________ des services importants à l'aspirant.
   (A) présente
   (B) se sert
   (C) bouleverse
   (D) rend
   (E) imite

9. __________, faisant la ronde, a chassé les larrons.
   (A) La maison
   (B) Le veilleur de nuit
   (C) La fenêtre
   (D) Le guet-apens
   (E) La motte

10. Ce déraillement a eu lieu au pont __________ .
   (A) défriché
   (B) tournant
   (C) émergé
   (D) débandé
   (E) débarbouillé

Reading Comprehension Type

Directions: Each passage is followed by several questions, each question containing five choices. For each question select the letter of that word or expression which most satisfactorily answers the question or completes the statement.

Autour des Canadiens-Français des étrangers sont venus, qu'il leur plaît d'appeler des barbares. Ces étrangers ont pris presque tout le pouvoir; ils ont acquis presque tout l'argent; mais au pays de Québec rien n'a changé. D'eux-mêmes et de leurs destinées, les Canadiens-Français n'ont compris clairement que ce devoir-là: persister, se maintenir. Et ils se sont maintenus, peut-être afin que dans plusieurs siècles encore le monde se tourne vers eux et dise: Ces gens sont d'une race qui ne sait pas mourir.

11. Que pensent les Canadiens-Français des étrangers?
(A) qu'ils sont doués de persistance
(B) qu'ils sont fort bienveillants
(C) qu'ils manquent de culture
(D) qu'ils sont bizarres
(E) qu'ils sont pauvres

12. Qu'ont fait les étrangers?
(A) Ils ont essayé d'acheter le gouvernement en payant les habitants.
(B) Ils ont tué beaucoup de paysans obstinés.
(C) Ils ont changé les coutumes des Québécois profondément.
(D) Ils sont devenus maîtres du pays.
(E) Ils sont opprimés.

13. Qu'est-ce que les Canadiens-Français ont réussi à faire?
(A) partir pour toujours
(B) surmonter les obstacles
(C) faire le tour du monde
(D) se soumettre sans protester
(E) acquérir beaucoup d'argent.

14. Quelle grande force a influencé les Canadiens-Français?
   (A) le courage de se battre
   (B) la soif du pouvoir
   (C) le devoir de chasser les étrangers
   (D) l'amour de l'argent
   (E) le besoin de survivre

15. Que pourrait-on dire des Canadiens-Français?
   (A) que leur postérité survivra
   (B) qu'ils sont d'une race inculte
   (C) qu'ils sont destinés à disparaître
   (D) qu'ils s'intéressent beaucoup à la richesse
   (E) qu'ils häissent les étrangers

Answers

1.	C	4.	E	7.	C	10.	D	13.	B
2.	A	5.	C	8.	D	11.	C	14.	E
3.	D	6.	E	9.	B	12.	D	15.	A

HOW TO PREPARE FOR THE TEST

Let us sound a clear warning: *Don't wait a week or even a month before the examination to start your preparation.* Cramming is not effective. The best preparation is intensive review over a period of several months.

Familiarity with the types of questions on this test will, certainly, be very helpful. For this reason, we advise you to use this book in the following way:

1. Take the first Sample Achievement Test.
2. Determine your areas of weakness (see Diagnostic Check List immediately following Test 1).
3. Refer to French textbooks which deal with the various areas of the examination (grammar, correct usage, vocabulary, reading comprehension, etc.) to eliminate those weaknesses which have been spotlighted by the first Sample Test.

4. Take the second Sample Test.
5. Again, determine your areas of weakness (see Suggestion 2 above).
6. Again, refer to study material (see Suggestion 3 above).
7. Proceed in the foregoing manner until you have taken all ten Sample Tests, followed by appropriate diagnosis and study.

THE SAMPLE TESTS

The ten sample tests in this book follow the general pattern of the actual Achievement Test in French. They will familiarize you with the types of questions that you will face on the actual test.

Put yourself under strict examination conditions, and allow yourself exactly one hour of working time

Tolerate no interruptions while you are taking a Sample Test. Work in a steady manner. Do not spend too much time on any one question. If a question seems to difficult, proceed to the next one. If time permits, go back to the omitted question.

Do not place too much emphasis on speed. The time element is a factor, but it is not all-important. Accuracy, therefore, should not be sacrificed for speed.

Part II

Ten Sample French Achievement Tests

The Sample Tests which follow are patterned after the actual test. We emphasize that these Sample Tests are not the actual tests. All College Board Achievement Tests are secure tests which may not be duplicated.

ANSWER SHEET TEST 1

1	A B C D E	26	A B C D E	51	A B C D E	76	A B C D E
2	A B C D E	27	A B C D E	52	A B C D E	77	A B C D E
3	A B C D E	28	A B C D E	53	A B C D E	78	A B C D E
4	A B C D E	29	A B C D E	54	A B C D E	79	A B C D E
5	A B C D E	30	A B C D E	55	A B C D E	80	A B C D E
6	A B C D E	31	A B C D E	56	A B C D E	81	A B C D E
7	A B C D E	32	A B C D E	57	A B C D E	82	A B C D E
8	A B C D E	33	A B C D E	58	A B C D E	83	A B C D E
9	A B C D E	34	A B C D E	59	A B C D E	84	A B C D E
10	A B C D E	35	A B C D E	60	A B C D E	85	A B C D E
11	A B C D E	36	A B C D E	61	A B C D E	86	A B C D E
12	A B C D E	37	A B C D E	62	A B C D E	87	A B C D E
13	A B C D E	38	A B C D E	63	A B C D E	88	A B C D E
14	A B C D E	39	A B C D E	64	A B C D E	89	A B C D E
15	A B C D E	40	A B C D E	65	A B C D E	90	A B C D E
16	A B C D E	41	A B C D E	66	A B C D E	91	A B C D E
17	A B C D E	42	A B C D E	67	A B C D E	92	A B C D E
18	A B C D E	43	A B C D E	68	A B C D E	93	A B C D E
19	A B C D E	44	A B C D E	69	A B C D E	94	A B C D E
20	A B C D E	45	A B C D E	70	A B C D E	95	A B C D E
21	A B C D E	46	A B C D E	71	A B C D E	96	A B C D E
22	A B C D E	47	A B C D E	72	A B C D E	97	A B C D E
23	A B C D E	48	A B C D E	73	A B C D E	98	A B C D E
24	A B C D E	49	A B C D E	74	A B C D E	99	A B C D E
25	A B C D E	50	A B C D E	75	A B C D E	100	A B C D E

French Achievement Test

Sample 1

Time: one hour

Questions 1 to 20

DIRECTIONS: Each question consists of a sentence, part of which is underlined. From the five choices, select the one which, gramatically, could not properly replace the underlined word or words in the sentence.

1. La voiture roulait si vite qu'elle éclaboussait les passants.
   (A) parce que Jean avait hâte d'arriver
   (B) que les gens protestaient
   (C) car il était tard
   (D) de venir les voir
   (E) qu'elle laissait un sillage de boue

2. Il se peut que Marie vienne à trois heures.
   (A) Il est possible
   (B) Je crois
   (C) Il est douteux
   (D) Il est impossible
   (E) Il est probable

3. Jean dormait lorsque le réveil sonna.
   (A) quand
   (B) sans que
   (C) alors que
   (D) et tout à coup
   (E) puis voilà que

4. La soupière lui échappa des mains pour se briser sur le sol.
   (A) à cause de sa maladresse
   (B) à la vue de l'intrus
   (C) sans col de fourrure
   (D) car elle les avait grasses
   (E) mais elle la rattrapa

5. Après la réprimande du maître, l'enfant <u>se mit à rougir.</u>
   (A) pâlit
   (B) pleura longtemps
   (C) baissa la tête
   (D) acheta une auto
   (E) fut puni

6. Paul courut après la balle <u>en poussant des cris.</u>
   (A) en marchant lentement
   (B) sans l'attraper
   (C) en essayant de l'atteindre
   (D) afin de gagner la partie
   (E) sans la perdre de vue

7. Mon voisin écoutait le chanteur <u>qui avait une belle voix.</u>
   (A) à la belle voix
   (B) de l'Opéra
   (C) qui venait de Paris
   (D) toute la journée
   (E) que je sache

8. Il faut <u>que Pierre apprenne sa leçon.</u>
   (A) savoir sa leçon
   (B) apprendre à lire
   (C) qui est à la maison
   (D) qu'il arrive à l'heure
   (E) aller la voir

9. <u>Aussitôt qu'il</u> finira son devoir, il ira chez son ami.
   (A) Il faut
   (B) Dès qu'il
   (C) Quand il
   (D) Après que Paul
   (E) Lorsqu'il

10. Le travail nous permet <u>d'échapper à l'ennui.</u>
   (A) de gagner notre vie
   (B) de payer le loyer
   (C) de vivre honnêtement
   (D) de sauter de joie
   (E) d'être un citoyen américain

11. Si j'avais de l'argent, <u>je ferais un voyage en France.</u>
    (A) je suis à Paris
    (B) j'achèterais une auto
    (C) j'irais à la campagne
    (D) où irions-nous?
    (E) seriez-vous surpris?

12. Depuis quand <u>étudiez-vous le français?</u>
    (A) allez-vous à l'école?
    (B) vous attend-il à la porte?
    (C) voulez-vous vous marier?
    (D) êtes-vous à New-York?
    (E) viendrez-vous demain?

13. Voici l'homme <u>à qui nous avons parlé hier.</u>
    (A) à laquelle j'ai écrit
    (B) dont j'ai oublié le nom
    (C) qui ressemble à mon frère
    (D) que je voudrais connaître
    (E) à qui il faudrait plaire

14. On ne sait plus <u>à qui se fier.</u>
    (A) pourquoi on travaille si dur
    (B) s'il est vraiment coupable
    (C) elle a raison
    (D) se distraire quand il pleut
    (E) écrire de longues lettres

15. Personne <u>n'était en retard à la gare.</u>
    (A) était à l'heure
    (B) ne l'avait vue
    (C) ne voulait ouvrir la porte
    (D) n'avait mangé du gâteau
    (E) ne s'appelait Dupont

16. Voudriez-vous <u>aller au musée à trois heures?</u>
    (A) que j'appelle un taxi?
    (B) vous dépêcher un peu?
    (C) le rencontrer au parc?
    (D) que vous perdiez la clé?
    (E) fermer la porte?

17. Elle est allée chez le coiffeur <u>pour se faire couper les cheveux.</u>
    (A) de la Place de l'Opéra
    (B) après avoir pris rendez-vous
    (C) avec son amie
    (D) pour une coupe
    (E) qu'elle préfère taper à la machine

18. Son père lui a défendu <u>d'aller au cinéma.</u>
    (A) que j'arrive à l'heure
    (B) de se lever tard
    (C) de venir le voir
    (D) sans doute de sortir
    (E) de prendre la voiture familiale

19. Lundi matin, nous partirons <u>de bonne heure.</u>
    (A) tous ensemble
    (B) à la campagne
    (C) avec Jean et Pierre
    (D) sans nous presser
    (E) à la bonne heure

20. Il regrette beaucoup <u>de vous avoir dérangé.</u>
    (A) de ne pas pouvoir vous recevoir
    (B) que vous ayez oublié votre chapeau
    (C) sans se souvenir de votre père
    (D) d'avoir perdu son portefeuille
    (E) de devoir partir pour la Suisse

Questions 21 to 40

DIRECTIONS: Each sentence or brief paragraph contains blank spaces. Under each blank space, there are five choices. Select the choice which fits in correctly with the context of the sentence or paragraph.

Le père de Paul ________ a acheté une bicyclette. Le garçon

21. (A) à lui
    (B) le
    (C) l'
    (D) les
    (E) lui

en est __________ qu'il s'en sert pout faire de __________

22. (A) aussi content
(B) que si content
(C) si content
(D) peu content
(E) aussi contents

23. (A) long
(B) longue
(C) longues
(D) larges
(E) large

promenades autour__________ville.

24. (A) du
(B) des
(C) au
(D) à les
(E) de la

Si Jacques __________ le temps, il ferait ses __________

25. (A) aurait
(B) avait
(C) aura
(D) avaient
(E) eut

26. (A) devenirs
(B) devoir
(C) durée
(D) dernier
(E) devoirs

et irait à l'école sans __________ que le maître ne __________

27. (A) craindrait
(B) crâner
(C) craindre
(D) craindra
(E) croira

28. (A) l'
(B) le
(C) les
(D) la
(E) leur

interroge.

Avant de partir en vacances, Jeanne __________ acheter un

29. (A) sont allés
(B) est allée
(C) est allé
(D) sont allées
(E) aille

livre à la ________ ; elle a choisi ________ romans

30. (A) librairie
(B) libraire
(C) bibliothèque
(D) boucher
(E) bouchère

31. (A) quelque
(B) tels que
(C) quels
(D) quelques
(E) quelles que

________ lira dans le train.

32. (A) qu'elle
(B) à qui elle
(C) qu'eux
(D) que
(E) qu'ils

________ donc ce garçon aux ________ blonds. Lequel?

33. (A) Renaud
(B) Regardez
(C) Regardait
(D) Regardons
(E) Regardera

34. (A) chevaux
(B) chevelure
(C) cheville
(D) cheveux
(E) chevet

Mais ________ -ci qui ________ tourne vers nous.

35. (A) celle
(B) ceux
(C) ces
(D) celui
(E) cette

36. (A) se
(B) s'est
(C) sut
(D) son
(E) ce

Il fallait qu'elle ________ chez le ________

37. (A) ira
(B) veuille
(C) aille
(D) ail
(E) voulait

38. (A) lingère
(B) boulanger
(C) bouillon
(D) bottier
(E) berger

acheter du pain ________ le déjeuner. Elle se rappela

39. (A) par
(B) part
(C) paire
(D) peur
(E) pour

__________ qu'elle avait oublié son porte-monnaie.

40. (A) tout à coup
(B) Marie
(C) coup de tête
(D) toute seule
(E) tournure

Questions 41 to 60

DIRECTIONS: In each question, a situation is presented. Select from the five choices that follow, the choice which is the most appropriate response to the situation given.

41. Le vieillard s'assit à l'ombre du chêne pour se reposer. Un passant le salua et lui dit:
(A) Mon enfant, il va pleuvoir.
(B) Que cet arbre donne de belles roses!
(C) Enchanté de faire votre connaissance!
(D) Reposez-vous bien, Père Martin!
(E) A quelle heure le train part-il?

42. Le petit garçon se savonnait les mains et les rinçait à l'eau chaude. Sa mère, qui le surveillait, lui dit:
(A) Voulez-vous aller au cinéma?
(B) N'oublie pas tes ongles!
(C) Ma fille s'appelle Simone.
(D) La géographie est une science exacte.
(E) Allons au jardin!

43. Il faisait encore nuit lorsque François entendit des pas dans la salle à manger. Il se dit:
(A) Il est l'heure de déjeuner.
(B) Tiens, mes parents sont rentrés tard et se font un petit casse-croûte.
(C) C'est la Saint-Nicolas demain.
(D) La ferme a de beaux cochons.
(E) Le téléphone m'a réveillé.

44. Si on la compare aux Etats-Unis d'Amérique, la France est un petit pays.
(A) Elle a la superficie de l'Etat du Texas.
(B) Elle a beaucoup de montagnes.
(C) Sa famille habite la Nouvelle-Orléans.
(D) La Loire est un fleuve paisible.
(E) Ses montagnes sont hautes.

45. L'élève paresseux néglige de faire ses devoirs et d'apprendre ses leçons. D'ailleurs,
(A) le maître le récompense
(B) il reçoit des compliments.
(C) son nom figure au tableau d'honneur
(D) sa mère le punit
(E) il part pour l'Angleterre.

46. Quand faut-il se brosser les dents? Demandez-le donc à votre dentiste. Il vous répondra sans doute:
(A) Une fois par an.
(B) A la Saint Jean.
(C) Après les repas.
(D) Le jour de votre anniversaire.
(E) Jamais, c'est trop dangereux.

47. S'il pleut, je vous conseille de
(A) prendre votre parapluie.
(B) de ne pas oublier votre ombrelle.
(C) de vous adresser à la mairie.
(D) de porter plainte.
(E) d'aller voir aux "objets trouvés".

48. Gaston voulait atteindre la boîte aux gâteaux secs mais, comme il était un peu maladroit, il dit:
(A) la fenêtre qui s'ouvre!
(B) le bébé qui s'endort
(C) le café qui sent bon!
(D) les voilà tous par terre!
(E) au feu!

49. Marie voudrait raconter son secret, mais elle ne sait à qui se confier, car ses amies sont toutes bavardes. Il y a bien
(A) la fille de l'épicier, mais elle est sourde
(B) Jeannette, car on peut avoir confiance en elle.
(C) Annie, une vraie bavarde et toujours à potiner.
(D) le fils du boulanger, mais c'est un garçon.
(E) sa mère, évidement, mais elle ne comprendrait pas.

50. Les consommateurs refusèrent de quitter le café. Le patron se décida à
(A) appeler les gendarmes.
(B) dévaliser son gendre.
(C) jeter la valise au feu.
(D) fouetter la crème.
(E) moudre son blé.

51. Marie demanda à son cousin Paul de l'accompagner au piano lorsqu'elle chanterait un air de valse. Il lui dit:
(A) J'aime aussi beaucoup le gothique.
(B) Impossible, ma chère. Je viens de me briser le poignet.
(C) Aimez-vous les neiges d'antan?
(D) Nous passons l'été à la campagne.
(E) Neuf fois trois, ça fait vingt-six?

52. Elle avait toujours rêvé de faire le tour du monde mais, au moment de retenir sa place sur le paquebot, elle hésita soudain. Elle se dit:
(A) Je vais avoir froid aux pieds.
(B) Mon manteau de fourrure ne me va plus.
(C) Gare à la Carmagnole!
(D) "Partir, c'est mourir un peu"
(E) J'ai encore oublié de faire le marché.

53. Mme Leblanc a assisté à la reunion des commerçants de sa ville natale. On lui demande de prendre la parole. Elle refuse en disant:
(A) Excusez-moi, mais je n'ai rien à ajouter au discours de notre président.
(B) La ville n'est pas belle, mais ce n'est pas une raison pour ne pas la visiter.
(C) Aux armes, citoyens!
(D) Napoléon est un grand homme et un brave soldat.
(E) Voici trois mois que je vous cherche.

54. Un touriste arrive à la gare. Il demande à un passant de lui indiquer un hôtel confortable. Celui-ci répond:
(A) Le pôle Nord? Je ne connais pas.
(B) Quoi? La Rue de Bains? Ça n'est pas dans le quartier.
(C) Tournez à gauche et vous voilà aux bains de mer.
(D) "Le Commerce" sur la Place d'Armes. Vous y serez bien.
(E) Tapez donc à la porte de l'église.

55. La forêt brûlait depuis dix jours. Aux alentours, les paysans soucieux mesuraient l'étendue des dégâts. Mathurin dit à sa femme:
(A) Quel beau feu! Cela fait plaisir à regarder.
(B) Quelle tempête! On se croirait en mer.
(C) Quel malheur! Toutes ces récoltes perdues.
(D) Quelle forte brise! On va geler.
(E) Quelle sottise! Se faire friser les cheveux!

56. L'infirmière consolait le petit garçon qui pleurait. Elle lui murmura:
(A) Tais-toi ou je t'étrangle.
(B) Evade-toi donc d'ici.
(C) Ta maman viendra bientôt te voir.
(D) Tous les jours des épinards.
(E) Tu veux rester ici?

57. Elle entendit la sonnerie du téléphone et celle de la porte d'entrée retentir en même temps. Elle s'arrêta puis courut à la porte en criant:
(A) Dormez bien!
(B) A la Bastille!
(C) Vive le Roi!
(D) N'entrez pas!
(E) Pourvu qu'on ne me coupe pas!

58. La dame entre au magasin et demande à voir une paire de chaussures noires. La vendeuse lui demande:
(A) Comment vous appelez-vous?
(B) Quelle est votre pointure?
(C) Combien de livres désirez-vous?
(D) Et pour Monsieur?
(E) Je vous les garde au frais?

59. Il veut louer une chambre. Le prix lui convient, mais il demande:
(A) Est-ce que la service est compris?
(B) Comprenez-vous l'espagnol?
(C) Cassez-vous les fenêtres?
(D) Combien coûte le quart de beurre?
(E) Le plafond est-il cire?

60. Denise a cassé ses lunettes. Elle ne sait où aller pour les faire réparer. On lui conseille:
(A) l'optique
(B) l'opéra
(C) l'opticien
(D) le pâtissier
(E) l'opération

Questions 61 to 80

DIRECTIONS: Choose the word or phrase that fits best into the blank space in each sentence.

61. N'oubliez pas de visiter la Place de la Concorde le soir alors qu'elle est ________ .
(A) illuminée
(B) allumette
(C) gardée
(D) habitée
(E) illustrée

62. Il a été mis en prison mais il s'en est ________ après trois semaines.
(A) épris
(B) appris
(C) échappé
(D) essence
(E) étendu

63. Pierre répond toujours par des injures. Qu'il est ________!
(A) galant
(B) gros
(C) gras
(D) grossier
(E) guéri

64. Avec la peau de ________ , on fait de belles chaussures.
(A) cruche
(B) crocodile
(C) crochet
(D) broche
(E) brochet

65. Le peintre admirait le coucher du ________ .
(A) soleil
(B) lune
(C) volume
(D) poisson
(E) fléau

66. Qui s'est __________ d'acheter les billets?
    (A) chévre
    (B) charge
    (C) chargé
    (D) chemin
    (E) chameau

67. Lucien étudie le droit pour devenir __________.
    (A) pharmacien
    (B) boucher
    (C) bouchon
    (D) avocat
    (E) bûcher

68. Adressez-vous au bureau pour savoir l'heure du __________ de l'avion.
    (A) départ
    (B) arrivée
    (C) partir
    (D) aéroport
    (E) devenir

69. Le voleur avait encore __________ dans la poche de son voisin.
    (A) le temps
    (B) les pieds
    (C) l'heure
    (D) la main
    (E) l'homme

70. Avez-vous fini de __________ à l'oreille de Pierre?
    (A) chute
    (B) choisir
    (C) chuchoter
    (D) charmer
    (E) chamelier

71. En faisant du ski, il est tombé et s'est fait mal au ________.
(A) pin
(B) pied
(C) pré
(D) plein
(E) plomb

72. J'admire le ________ de cette église au coloris exquis.
(A) bétail
(B) éventail
(C) vitrail
(D) victuailles
(E) volaille

73. Le bouleau est un arbre à l'écorce ________ .
(A) lisse
(B) lasse
(C) l'os
(D) ours
(E) l'ours

74. Le camembert est entier; qui veut l' ________?
(A) ôter
(B) abriter
(C) couper
(D) entamer
(E) mordre

75. Tirez ________ et vous vous sentirez en sûreté chez vous.
(A) la serrure
(B) le verrou
(C) la verrerie
(D) le vaurien
(E) la clé

76. J'adore les ________ au chocolat.
(A) éclats
(B) flamme
(C) éclairs
(D) écrans
(E) écrin

77. C'est la première porte à droite, au fond du ________ .
 (A) couloir
 (B) passoire
 (C) robinet
 (D) passeur
 (E) personne

78. Connaissez-vous la dame que vous venez de ________ dans l'escalier?
 (A) casser
 (B) croiser
 (C) grincer
 (D) craindre
 (E) contrée

79. Les abeilles sont auprès de leur ________ .
 (A) ride
 (B) rude
 (C) ruche
 (D) riche
 (E) rage

80. Comme Jean ne veut plus recevoir cette revue, on a ________ son nom de la liste des abonnés.
 (A) brillé
 (B) arrêté
 (C) arrangé
 (D) rayé
 (E) dérangé

Questions 81 to 100

DIRECTIONS: Each passage is followed by several questions. For each question, select the word or expression which most satitfactorily answers the question or completes the statement.

Chaque dimanche nous allions faire notre tour de la ville en habits du dimanche. Mon père, très élégant, en grand chapeau, en gants, offrait le bras à ma mère, décorée comme un navire un jour de fête. Mes soeurs, prêtes les premières, attendaient le signal du départ; mais, au dernier moment, on découvrait toujours quelque chose sur la cravate du père de famille, et il fallait bien vite l'effacer avec de la benzine.

Mon père, gardant son grand chapeau sur la tête, attendait que l'opération fût terminée, tandis que ma mère se hâtait, ayant ajusté ses lunettes et ôté ses gants pour ne pas les gâter. On se mettait en route avec cérémonie. Mes soeurs marchaient devant, en se donnant le bras. Je me tenais à gauche de ma mère, tandis que mon père gardait la droite. Et je me rappelle l'air cérémonieux de mes parents dans ces promenades du dimanche. Ils avançaient d'un pas grave, le corps droit, comme s'il s'agissait d'une affaire d'un importance extrême.

Et chaque dimanche ils se dirigeaient au quai, pour voir entrer les grands navires qui revenaient de pays inconnus et lointains.

81. faire notre tour de la ville
    (A) aller admirer un monument
    (B) aller au musée
    (C) faire notre promenade urbaine accoutumée
    (D) faire la queue
    (E) rendre visite à la famille

82. décorée
    (A) polie
    (B) parée
    (C) perdue
    (D) punie
    (E) passée

83. Le narrateur de ce passage montre
(A) qu'il n'avait pas connu ses parents
(B) qu'il avait trois frères
(C) qu'il était orphelin
(D) qu'il se souvient des détails de son enfance
(E) qu'il habitait loin de la mer

84. Quand toute la famille était prête à partir,
(A) le père s'apercevait d'une tache
(B) le père allait au jardin
(C) la mère cherchait ses lunettes
(D) la soeur ôtait ses gants
(E) le père ouvrait son parapluie

85. Caractérisez l'allure de cette famille. Elle est
(A) désordonnée
(B) brutale
(C) cérémonieuse
(D) capricieuse
(E) querelleuse

Le Provençal aime passionnément la danse; dans la belle saison, chaque village de Provence a son jour de fête dont le principal événement est une danse au tambourin. Plusieurs jours à l'avance, un groupe de jeunes musiciens vêtus de blanc, leurs chapeaux et leurs instruments ornés de rubans multicolores, parcourent les villages en proclamant le nom de l'endroit où la fête doit avoir lieu le dimanche suivant. Au jour annoncé, une foule de curieux arrivent à pied, à cheval, en voiture, vers le village où l'on dansera. Il est impossible de s'imaginer ces réunions où assistent le riche et le pauvre, la villageoise aussi bien que la dame élégante, tous animés d'une joie commune.

La salle de bal, dressée sur la place publique, est décorée, sinon toujours avec goût, du moins avec soin. En payant le prix de la danse, chaque monsieur reçoit en échange un cadeau qu'il se hâte d'offrir à sa danseuse.

86. Les Provençaux aiment la danse
   (A) avec indifférence
   (B) avec nonchalance
   (C) sans enthousiasme
   (D) avec ferveur
   (E) avec froideur

87. Les rubans sont
   (A) blancs
   (B) monochromes
   (C) à carreaux rouges
   (D) à pastilles bleues
   (E) de plusieurs couleurs

88. Comment les villageois apprennent-ils où la fête aura lieu?
   (A) Ils écoutent le crieur de ville.
   (B) Un groupe de jeunes gens l'annonce.
   (C) Ils lisent les journaux.
   (D) Il y a un communiqué à la TSF.
   (E) Le haut-parleur les renseigne.

89. Que pense l'auteur du goût des villageois?
   (A) Il le trouve gothique.
   (B) Il favorise le désordre.
   (C) Il n'est pas à la page.
   (D) Il n'est pas toujours bon.
   (E) Il est réaliste.

90. D'après ce passage, il est clair que
   (A) les Provençaux savent s'amuser
   (B) la Provence est un pays triste
   (C) la danse est interdite au sud de la Loire
   (D) la musique est inconnue en Provence
   (E) les Provençaux n'aiment pas les divertissements

Un soir le grand critique Sarcey se trouva à un dîner public. Les invités parlèrent de la chasse. Pour impressionner l'auteur célèbre, ils racontèrent leurs aventures en imaginant les histoires les plus fantastiques. Enfin, pour leur donner une leçon, Sarcey raconta l'histoire suivante.

Je me trouvais alors dans les Pyrénées. Mon guide me dit un jour qu'il avait observé dans les montagnes un ours énorme qui allait tous les matins vers dix heures à un certain rocher. Je résolus d'aller tuer la bête. Le lendemain matin, je partis tout seul. A neuf heures et demie, j'étais à mon poste, j'attendais anxieux. Le soleil était déjà haut. Je m'étais levé de bonne heure; la longueur de la marche m'avait un peu fatigué. Je me couchai sur l'herbe verte et, après quelque temps, je m'endormis.... Je fus réveillé soudain par un bruit effrayant. L'ours avait la tête à dix centimètres de la mienne.... Vous devinez le reste!

—Pas du tout, dit un des invités. Que fit l'ours?

—L'ours? déclara Sarcey. Il me dévora, Monsieur, il me dévora tout simplement. Et depuis, comme je vous le disais, je n'ai jamais chassé!

La leçon fut comprise.

91. à mon poste
(A) au travail
(B) au bureau
(C) au guichet
(D) à la rue mentionnée
(E) à l'endroit convenu

92. anxieux
(A) inquiet
(B) amorphe
(C) inévitable
(D) affalé
(E) isolé

93. D'après ce passage, il est clair que
(A) Sarcey aimait la chasse
(B) Sarcey connaissait les Alpes
(C) Tartarin est chasseur
(D) Sarcey était musicien
(E) Sarcey n'aimait pas les vantards

94. L'histoire de chasse que Sarcey raconte est
   (A) possible
   (B) absurde
   (C) probable
   (D) réaliste
   (E) surréaliste

95. Quand les convives entendirent cette histoire, ils comprirent
   (A) que Sarcey s'était moqué d'eux
   (B) que le dîner était bon
   (C) que l'ours est un animal gracieux
   (D) qu'on ne va pas à la chasse le dimanche
   (E) qu'il ne faut pas parler en mangeant

Le Jardin du Lunembourg, situé dans le quartier des étudiants a Paris, a un charme particulier que le fait aimer de tous ceux qui le connaissent. Ce charme lui vient sans doute de ce qu'il est vraiment habité. Sauf la nuit, quand il est fermé, le jardin est toujours rempli de monde, surtout en été.

Le public fréquentant le Luxembourg change d'ailleurs suivant l'heure de la journée. Le matin il est traversé par les écoliers et étudiants se rendant aux lycées et écoles du voisinage. Le jardin est tout plein de jeunesse et d'agilité. Puis, après le déjeuner de midi, il est rempli d'enfants avec leurs mamans. Assises sur les nombreux bancs, les mamans lisent, causent ou font quelque travail à l'aiguille, tandis que les enfants s'amusent non loin d'elles.

Le Luxembourg est aussi un salon de lecture, une salle d'étude. Des messieurs y lisent leur journal: plus loin des jeunes filles, absorbées dans leurs livres, se préparent aux examens; plus loin encore des groupes d'étudiants discutent, avec toute la passion de la jeunesse, des questions politiques ou sociales, littéraires ou artistiques.

96. <u>rempli de monde</u>
   (A) dépeuplé
   (B) mondain
   (C) dénudé
   (D) peuplé
   (E) peuplier

97. Le jour, le Luxembourg est fréquenté par
    (A) des enfants seuls
    (B) des parents désoeuvrés
    (C) toutes sortes de gens
    (D) des malfaiteurs en liberté
    (E) des animaux sauvages

98. Le jardin n'est vide que
    (A) le dimanche
    (B) la nuit
    (C) l'été
    (D) le premier janvier
    (E) la Saint-Nicolas

99. L'auteur de ce passage semble
    (A) ne pas connaître Paris
    (B) ne pas savoir le français
    (C) ne pas aimer le Luxembourg
    (D) bien connaître le Luxembourg
    (E) perdre son temps

100. Quant aux étudiants, le Luxembourg sert
    (A) de cinéma
    (B) de théâtre
    (C) de piscine
    (D) de lieu de réunion
    (E) de prison

The French Achievement Test (Sample 1) Is Now Over.

After One Hour, Stop All Work.

ANSWER KEY TO TEST 1

1. D	26. E	51. B	76. C
2. B	27. C	52. D	77. A
3. B	28. A	53. A	78. B
4. C	29. B	54. D	79. C
5. D	30. A	55. C	80. D
6. A	31. D	56. C	81. C
7. E	32. A	57. E	82. B
8. C	33. B	58. B	83. D
9. A	34. D	59. A	84. A
10. E	35. D	60. C	85. C
11. A	36. A	61. A	86. D
12. E	37. C	62. C	87. E
13. A	38. B	63. D	88. B
14. C	39. E	64. B	89. E
15. A	40. A	65. A	90. A
16. D	41. D	66. C	91. E
17. E	42. B	67. D	92. A
18. A	43. B	68. A	93. E
19. E	44. A	69. D	94. B
20. C	45. D	70. C	95. A
21. E	46. C	71. B	96. D
22. C	47. A	72. C	97. C
23. C	48. D	73. A	98. B
24. E	49. B	74. D	99. D
25. B	50. A	75. B	100. D

STEPS TO TAKE AFTER THE SAMPLE TEST

STEP ONE Check your answers with the Answer Key that follows the Sample Test.

To determine your percentile ranking, proceed as follows: Count the number of INCORRECT ANSWERS. Take 25% of this number. Subtract this result from the NUMBER OF CORRECT ANSWERS. Now refer to the table below to arrive at your percentile ranking.

For example, let us assume that out of the 100 questions given, you had

77 CORRECT
21 INCORRECT
2 OMITTED

25 percent of $21 = 5\frac{1}{4} = 5$ (Disregard fraction if under .5). In the actual ranking, however, fractions of points are significant. This is understandable when one considers that several thousand candidates take the Achievement Test annually.

Now deduct 5 from 77. Your score is 72. According to the Percentile Ranking Table, your percentile ranking is 81.

PERCENTILE RANKING TABLE

(Unofficial)

Approximate Percentile Ranking	Score * On Test	Approximate Percentile Ranking	Score * On Test
99	99-100	69	60
98	97-98	68	59
97	95-96	67	58
96	93-94	66	57
95	91-92	65	56
94	89-90	64	55
93	87-88	63	54
92	85-86	62	53
91	83-84	61	52
90	81-82	60	51
89	80	59	50
88	79	58	49
87	78	57	48
86	77	56	47
85	76	55	46
84	75	54	45
83	74	53	44
82	73	52	43
81	72	51	42
80	71	50	41
79	70	49	40
78	69	48	39
77	68	47	38
76	67	46	37
75	66	45	36
74	65	44	35
73	64	43	34
72	63	42	33
71	62	41	32
70	61	0-40	0-31

*25 percent of the number of wrong answers should be subtracted from the number of right answers as a correction for haphazard guessing.

STEP TWO—Use the results of the test in a diagnostic manner. Pinpoint the areas in which you show the greatest weakness. The following Diagnostic Check List will help you to spotlight the places where you need the most practice.

Directions: Use the following Diagnostic Check List to establish the areas that require the greatest application on your part. One check (√) after the item means *moderately weak;* two checks (√ √) means *seriously weak.*

DIAGNOSTIC CHECK LIST *	
Area of Weakness	Check Below
GRAMMAR	
CORRECT USAGE	
VOCABULARY	
READING COMPREHENSION	

STEP THREE Refer to textbooks to eliminate the weaknesses that are indicated in the preceding Diagnostic Check List.

STEP FOUR Take the second Sample Test. Again place yourself under examination conditions. After you have taken the second Sample Test, go through the foregoing Steps One and Two and Three just as you did after taking Sample Test 1. Repeat this procedure for Sample Tests 3,4,5,...10. We have every confidence that you will do better on the tenth Sample Test than you did on the first one, provided you diligently and systematically follow the plan which we have outlined for you.

Now please get to work on Sample Test 2.

*Do not be discouraged if you did poorly in the first Sample Test. You are not expected to know everything. Although there is no magic wand to improve your score on the Achievement Test, we can give you light to help you find your own way.

ANSWER SHEET TEST 2

1	A B C D E	26	A B C D E	51	A B C D E	76	A B C D E
2	A B C D E	27	A B C D E	52	A B C D E	77	A B C D E
3	A B C D E	28	A B C D E	53	A B C D E	78	A B C D E
4	A B C D E	29	A B C D E	54	A B C D E	79	A B C D E
5	A B C D E	30	A B C D E	55	A B C D E	80	A B C D E
6	A B C D E	31	A B C D E	56	A B C D E	81	A B C D E
7	A B C D E	32	A B C D E	57	A B C D E	82	A B C D E
8	A B C D E	33	A B C D E	58	A B C D E	83	A B C D E
9	A B C D E	34	A B C D E	59	A B C D E	84	A B C D E
10	A B C D E	35	A B C D E	60	A B C D E	85	A B C D E
11	A B C D E	36	A B C D E	61	A B C D E	86	A B C D E
12	A B C D E	37	A B C D E	62	A B C D E	87	A B C D E
13	A B C D E	38	A B C D E	63	A B C D E	88	A B C D E
14	A B C D E	39	A B C D E	64	A B C D E	89	A B C D E
15	A B C D E	40	A B C D E	65	A B C D E	90	A B C D E
16	A B C D E	41	A B C D E	66	A B C D E	91	A B C D E
17	A B C D E	42	A B C D E	67	A B C D E	92	A B C D E
18	A B C D E	43	A B C D E	68	A B C D E	93	A B C D E
19	A B C D E	44	A B C D E	69	A B C D E	94	A B C D E
20	A B C D E	45	A B C D E	70	A B C D E	95	A B C D E
21	A B C D E	46	A B C D E	71	A B C D E	96	A B C D E
22	A B C D E	47	A B C D E	72	A B C D E	97	A B C D E
23	A B C D E	48	A B C D E	73	A B C D E	98	A B C D E
24	A B C D E	49	A B C D E	74	A B C D E	99	A B C D E
25	A B C D E	50	A B C D E	75	A B C D E	100	A B C D E

French Achievement Test

Sample 2

Time: one hour

Questions 1 to 20

DIRECTIONS: Each question consists of a sentence, part of which is underlined. From the five choices, select the one which, gramatically, could not *properly replace the underlined word or words in the sentence.*

1. Chanteriez-vous si je jouais du piano?
   (A) je m'appelle Marie?
   (B) si elle vous accompagnait à la flûte?
   (C) l'aria de Louise pour nous faire plaisir?
   (D) au concert du Club français?
   (E) une oeuvre de Gabriel Fauré?

2. Le professeur lui parlera quand il amènera sa fille à l'école.
   (A) demain à trois heures
   (B) ses amis d'enfance
   (C) qu'il n'oublie pas de fermer la porte
   (D) quand il aura le temps
   (E) dès qu'il le verra

3. En attendant que le rôti soit prêt, prenez donc du poisson.
   (A) Pour commencer,
   (B) Je vous en prie,
   (C) Qu'il soit venu,
   (D) Mais oui, Madame,
   (E) Vous aimez la friture;

4. Après avoir mangé des champignons, Jean est tombé malade.
   (A) Pour avoir dégusté des huîtres,
   (B) Sans avoir commis d'excès,
   (C) Sa mère me dit que
   (D) Il est impossible;
   (E) Ne me dites pas que

5. Après avoir nagé une heure, elle n'en peut plus.
   (A) il se sent fatigué
   (B) elle a mal au dos
   (C) tout en travaillant
   (D) il doit se reposer
   (E) il faut qu'elle se repose

6. Il conseilla à son client de ne pas porter plainte.
   (A) rentrer tard
   (B) qu'il aille à pied
   (C) séjourner au Maroc
   (D) fréquenter les bars
   (E) porter les cheteux si longs

7. Comment s'appelle cette église qu'on voit au loin?
   (A) qu'avez-vous donc?
   (B) au toit rouge?
   (C) de style gothique?
   (D) de la ville du Mans?
   (E) dont on aperçoit le toit?

8. Qu'est-ce qu'il a volé à la bouchère?
   (A) Est-ce qu'il l'
   (B) Voilà le jambon qu'elle
   (C) Demande à Jean s'il l'
   (D) Entre Paris et Lyon
   (E) C'est donc l'os que le chien

9. On entend sonner les cloches de la cathédrale.
   (A) l'angélus du midi
   (B) à la porte d'entreé
   (C) que je réponde
   (D) la femme de chambre
   (E) le carillon de Noel.

10. Il est impossible qu'elle fasse ses courses le matin.
    (A) qu'elle vous reçoive
    (B) que vous parliez chinois
    (C) de se reposer à la maison
    (D) de ne pas vous aimer
    (E) qu'elle y va

11. Il aime ses parents et il leur obéit.
    (A) bien qu'elle soit en voyage
    (B) dont il est très fier
    (C) car c'est un bon fils
    (D) avec tendresse
    (E) qui le lui rendent bien

12. Comme ce jeune homme goûte la beauté des paysages alpins!
    (A) un verre de lait, il fait la grimace.
    (B) à quatre heures, il lui faut du pain et du chocolat.
    (C) sa cravate est de travers.
    (D) son vin, on voit qu'il se connaît en boissons fines.
    (E) la paix du crépuscule!

13. C'est à neuf heures que les marchands ouvrent leurs boutiques.
    (A) courent aux nouvelles
    (B) vont en ville
    (C) s'appelle Martin
    (D) s'apprêtent à fermer le magasin
    (E) se mettent à table

14. Il ne croit pas qu'aucun homme puisse se flatter d'être parfait.
    (A) doive travailler trop dur
    (B) sache toutes les langues du monde
    (C) faille arriver toujours en retard
    (D) s'appelle Tartempion
    (E) aller à l'école

15. L'hiver prochain nous ferons quelques bonnes parties de patinage.
    (A) irons à la montagne
    (B) sommes allées à la plage
    (C) nous promettons de vous revoir
    (D) ferons un tour au Canada
    (E) conduirons une auto de marque

16. Le bien que nous faisons, nous pouvons en être fiers.
    (A) qui nous écrit
    (B) dont vous parlez
    (C) est l'anthithèse du mal, et
    (D) qu'il nous a prodigué
    (E) que nous répandons

17. Il est triste de voir des élèves intelligents s'abandonner à la paresse.
    (A) qui ne font rien
    (B) négliger de faire leurs devoirs
    (C) qui refusent de travailler
    (D) à qui on refuse des bourses
    (E) qu'elle s'amuse trop

18. Le mois dernier, le café a augmenté de prix.
    (A) vert ne s'est pas vendu au marché
    (B) fut bien fréquenté, grâce à sa terrasse
    (C) n'avait guère de goût
    (D) ne se vendra pas
    (E) moulu était introuvable

19. Ne nous décourageons pas si nos efforts ne sont pas récompensés.
    (A) Il ne faut pas se décourager
    (B) Tant pis
    (C) Il vaut mieux
    (D) C'est triste
    (E) Ne pleurons pas

20. Lors du déluge, il plut pendant quarante jours.
    (A) il a plu quarante jours et quarante nuits
    (B) la terre était submergée
    (C) c'est invraisemblable.
    (D) dont parle la Bible, nos ancêtres étaient à l'abri.
    (E) l'Arche servit de refuge.

Questions 21 to 40

DIRECTIONS: Each sentence or brief paragraph contains blank spaces. Under each blank space, there are five choices. Select the choice which fits in correctly with the context of the sentence or paragraph.

Il faut que ________ de nous ait une ________ .

21. (A) certain
(B) quelque
(C) quiconque
(D) aucun
(E) chacun

22. (A) devise
(B) derviche
(C) devoir
(D) devinette
(E) dragée

La mienne sera "Qui m'aime me ________ ." Choisissez donc chacun

23. (A) servante
(B) savon
(C) suive
(D) serpent
(E) saucisse

________ .

24. (A) les miens
(B) le leur
(C) les leurs
(D) le sien
(E) la vôtre

Quand nous ________ les ________ où nous avons

25. (A) revoyons
(B) revoyions
(C) réveillon
(D) reviens
(E) réveillant

26. (A) lieu
(B) liens
(C) lieux
(D) l'oeil
(E) yeux

________ notre enfance, nous éprouvons un grand ________

27. (A) passée
(B) passés
(C) passées
(D) passer
(E) passé

28. (A) soutien
(B) sentiment
(C) sédiment
(D) cent ans
(E) s'étend

de joie.

Il aime la ________ du petit village ________ il

29. (A) tranche
(B) tranquille
(C) tranquillité
(D) tranquiliser
(E) transe

30. (A) à qui
(B) que
(C) dont
(D) de quoi
(E) d'eux

suit la route ________ qui mène ________ pâturage où

31. (A) poussière
(B) poudre
(C) poudrée
(D) poudreuse
(E) poudrier

32. (A) au
(B) aux
(C) à la
(D) des
(E) du

paissent les moutons.

La maison qu'il a ________ si longtemps, il doit ________

33. (A) habité
(B) habitée
(C) habitué
(D) habituer
(E) habit

34. (A) la
(B) le
(A) les
(D) las
(E) lasse

quitter et y abandonner le ________ des personnes qu'il a

35. (A) repentir
(B) remords
(C) souvenir
(D) soupirs
(E) source

________.

36. (A) aimé
(B) aimée
(C) aimant
(D) aimées
(E) aimes

La pluie tombe ________ du ciel et frappe doucement

37. (A) lent
(B) lente
(C) lenteur
(D) lentement
(E) lanterne

aux __________ de ma fenêtre en __________ dans mon

38. (A) carreaux
    (B) carré
    (C) carottes
    (D) carosses
    (E) carrures

39. (A) rententir
    (B) retentissait
    (C) retentisse
    (D) retentissant
    (E) a retenti

__________ ému.

40. (A) choeur
    (B) chair
    (C) soeur
    (D) sueur
    (E) coeur

Questions 41 to 60

DIRECTIONS: In each question, a situation is presented. Select from the five choices that follow, the choice which is the most appropriate response to the situation given.

41. Il faut obéir à ses parents; aussi le petit Marcel répond-il toujours oui lorsque son père lui demande:
    (A) Veux-tu un gâteau au chocolat?
    (B) Il ne pleut pas, n'est-ce pas?
    (C) Quelle heure est-il?
    (D) Je ne vois pas la rue Saint-Michel?
    (E) Est-ce que tu es docile?

42. Pourquoi sommes-nous rarement satisfaits de notre sort?
    (A) Parce qu'il fait beau en été.
    (B) Pour aller aux sports d'hiver.
    (C) Grâce à la Caisse d'Epargne.
    (D) Celui du voisin nous paraît préférable.
    (E) Savoir travailler.

43. Je vais vous apprendre à mettre le couvert.
    (A) Allez à la gare.
    (B) Ouvrez la bouche.
    (C) Nagez vers la falaise.
    (D) Mettez le couteau à droite et la fourchette à gauche.
    (E) Courez vite à la banque.

44. Qui est ce garçon aux yeux bleus et aux cheveux blonds?
   (A) C'est la fille de la concierge.
   (B) C'est mon cousin Paul.
   (C) C'est la Tour Saint Jacques.
   (D) C'est un nougat de Montélimar.
   (E) C'est faux.

45. Je voudrais que vous veniez à quatre heures prendre le thé.
   (A) Très volontiers.
   (B) Pour toujours.
   (C) A non gré.
   (D) A voix basse.
   (E) A travers le parc.

46. La concierge se tenait à la porte de sa loge et dit à Pierre:
   (A) Les Anglais ont débarqué.
   (B) La Traviata, voilà mon ballet préféré.
   (C) Donnez-moi donc votre adresse.
   (D) J'ai une lettre pour vous.
   (E) C'est vous Marie?

47. A quelle heure part le train pour Marseille?
   (A) Lavez-vous les pieds.
   (B) A huit heures, Madame.
   (C) Veux-tu un gâteau?
   (D) Au milieu de la table.
   (E) Le premier tournant à gauche

48. Rappelez-moi au bon souvenir de Madame Garnier.
   (A) Je n'y manquerai pas, cher Monsieur!
   (B) Je vais à la messe de huit heures.
   (C) Un peu plus courts, les cheveux?
   (D) Vous allez très vite!
   (E) Il fait dix au-dessous de zéro.

49. D'ordinaire, le magasin ferme entre midi et deux heures.
   (A) Le sable est gris.
   (B) Je préfère dîner au restaurant.
   (C) Aimez-vous les ongles rouges?
   (D) Aujourd'hui veille de fête, il sera ouvert.
   (E) J'adore le ragoût de mouton.

50. Jeanne a oublié ses clefs. Elle crie à sa fille:
    (A) Descends ma robe de soirée!
    (B) Je vais rentrer demain!
    (C) Ma cousine s'appelle Célestine!
    (D) Descends m'ouvrir la porte!
    (E) Ton père est en voyage!

51. Suzanne ne comprend pas très bien la question de Madame Dupont. Elle lui dit:
    (A) J'ai oublié mon tricot?
    (B) Oui, Madame Durand.
    (C) Jamais de la vie!
    (D) Plaît-il?
    (E) Le long du quai?

52. Jean vient de terminer son repas. Il appelle le garçon et lui dit:
    (A) L'addition, s'il vous plaît!
    (B) Mon chèque, garçon!
    (C) Mon compte est-il bon?
    (D) Mon mandat, je vous en prie!
    (E) Passez à la caisse!

53. Le maître enseigne les règles de la formation du pluriel à ses élèves. A la fin de la leçon il demande:
    (A) Combien font deux et trois?
    (B) Déclinez *rosa* en latin.
    (C) Multipliez trois par quatre.
    (D) Savez-vous planter les choux?
    (E) Quels noms prennent un *x* au pluriel?

54. Quel proverbe illustrerait la situation suivante: le patron est absent, et les ouvriers en prennent à leur aise.
    (A) Aide-toi, le ciel t'aidera.
    (B) Un bon tiens vaut mieux que deux tu l'auras.
    (C) Quand le chat n'est pas là, toutes les souris dansent.
    (D) Noblesse oblige.
    (E) L'appétit vient en mangeant.

55. Que doit-on faire lorsque le réveil sonne?
(A) Dire: Qui est à l'appareil?
(B) Se rendormir.
(C) Grommeler: C'est la faute du maire.
(D) Aller à la poste.
(E) Se réveiller et se lever.

56. M. Dupont croit reconnaître son voisin d'autobus mais il n'en est pas sûr. N'y tenant plus, il se tourne vers lui et lui dit:
(A) Je crois qu'il va pleuvoir.
(B) Vous aimez la chasse au lion?
(C) Excusez-moi, mais ne seriez-vous pas Durand?
(D) Je ne veux pas vous importuner, mais vous avez la figure sale.
(E) Les Halles, c'est bien pour les robes de mariées.

57. Geneviève a des bijoux magnifiques. Elle a le malheur d'en perdre un de prix. Son amie lui téléphone pour lui exprimer sa sympathie. Geneviève répond:
(A) Je tuerai ce bandit.
(B) Ma compagnie d'assurance s'en occupe.
(C) Un de plus, un de moins.
(D) Qui perd, gagne.
(E) C'est bien fait pour toi.

58. Il va aux sports d'hiver pour la première fois de sa vie et se brise une jambe en dévalant une pente. Il écrit à son ami:
(A) La neige est blanche.
(B) Hélas, je suis immobilisé par une fracture.
(C) La facture est trop élevée.
(D) Il ne faut pas briser un songe.
(E) Il a neigé et il neigera.

59. Jeanne cherche un appartement et lit les petites annonces du journal. Elle en voit une qui lui convient et elle téléphone au numéro indiqué. On lui répond:
(A) Nous livrons à domicile le mardi et le jeudi.
(B) Ici, Pompes Funèbres.
(C) Je viens de le louer.
(D) Priez pour nous.
(E) Moi aussi, j'aime le vin blanc un peu sec.

60. Madame Leroy est une brave femme, mais elle n'est pas brave! Elle voit une souris et se met à crier, perchée sur une chaise:
(A) La maison brûle!
(B) C'est une montagne!
(C) Au secours, j'ai peur!
(D) Un lion s'est échappé de sa cage!
(E) Apportez-moi mon sac!

Questions 61 to 80

DIRECTIONS: Choose the word or phrase that fits best into the blank space in each sentence.

61. Vous n'avez pas de sucre? Tant pis, je m'en ________.
(A) passerai
(B) allongerai
(C) dépasserai
(D) surpasserai
(E) impasse

62. Elle n'a pas compris un mot à la leçon car elle n'a pas écouté très ________ .
(A) gentiment
(B) bruyamment
(C) attentivement
(D) régulièrement
(E) vilainement

63. Il porte des ________ lorsqu'il conduit sa voiture.
(A) gâteaux
(B) gousses
(C) grêle
(D) gants
(E) grands

64. Elle ne l'écouta pas car il lui tardait de ________ son fils.
(A) réprimer
(B) revoir
(C) rassembler
(D) ressembler
(E) ronger

65. Il est vrai que beaucoup d'hommes ________ le sport
(A) aiment
(B) hument
(C) arment
(D) humeur
(E) homard

66. Voici mon propriétaire; je vais lui payer mon ________ .
(A) location
(B) louer
(C) loyer
(D) loyal
(E) loi

67. Nous avons prié Jeanne de nous ________ au concert.
(A) accueillir
(B) accompagner
(C) recueillit
(D) détourner
(E) detaché

68. Avant de tirer, il faut savoir ________ .
(A) viser
(B) voisin
(C) virer
(D) vaquer
(E) vison

69. Prenez garde à ce chien car il est peut-être ________ .
(A) gâté
(B) mordre
(C) raturé
(D) enragé
(E) ragoût

70. Il fait chaud et je vais m'asseoir à l' ________ .
(A) automobile
(B) ombre
(C) coté
(D) verdure
(E) éclat

71. Elle est ________ par la mauvaise nouvelle qu'elle vient de recevoir.
(A) sombrer
(B) tristesse
(C) attristée
(D) méprisée
(E) reprise

72. La femme de chambre a répondu ________ au coup de sonnette.
(A) immédiatement
(B) jamais
(C) demain
(D) demande
(E) grandement

73. Thérèse vient d'acheter un magnifique sac de voyage en __________ de porc.
(A) rayon
(B) soie
(C) fléau
(D) flèche
(E) peau

74. L'agent de police a obligé l'automobiliste à __________ son allure.
(A) ralentir
(B) rater
(C) raconter
(D) routier
(E) routine

75. A Londres, en hiver, il y a beaucoup de __________ .
(A) balais
(B) brouillard
(C) bouillon
(D) brouille
(E) brosses

76. Elle aime le style Louis XV pour son __________ .
(A) salon
(B) soirée
(C) salade
(D) serment
(E) savoir

77. Je suis __________ après avoir grimpé au cinquième étage.
(A) assouvie
(B) assoiffés
(C) essouflée
(D) essaimer
(E) assaut

78. La mère se pencha sur le ________ du bébé.
    (A) berceau
    (B) barque
    (C) bateaux
    (D) butin
    (E) boulet

79. Il est affaibli et on lui a ordonné un ________ .
    (A) tonneau
    (B) tonique
    (C) tonne
    (D) torrent
    (E) tailleur

80. Puisque sa fenêtre ________ le jardin, il a une vue magnifique.
    (A) regarde sur
    (B) lui donne
    (C) regarde dans
    (D) donne sur
    (E) voit

Questions 81 to 100

DIRECTIONS: Each passage is followed by several questions. For each question, select the word or expression which most satisfactorily answers the question or completes the statement.

Héctor Berlioz, dont vous connaissez tous les oeuvres principales, telles que la *Symphonie fantastique* et la *Damnation de Faust,* naquit le 11 décembre 1803, dans l'Isère. Son père, médecin, à l'intelligence vive et curieuse, décida de diriger l'éducation de son fils. Héctor était un jeune garçon sensible, d'un orgueil énorme et d'une merveilleuse imagination. A 11 ans, il savait déjà lire un morceau de musique et jouer de la flûte. Il apprenait aussi la guitare. Mais il rêvait de composition et, après avoir tout seul étudié l'harmonie, il composa un morceau pour cinq instruments, qui fut déclaré un petit chef-d'oeuvre. Il avait alors 12 ans.

Ses parents cependant voulaient qu'il fût médecin, comme son père. Berlioz, qui adorait ce dernier, promit d'obéir et, plus tard, le coeur gros, il partit pour commencer ses études de médecine à Paris. La première fois qu'il dut examiner un cadavre, il éprouva un tel sentiment d'horreur qu'il sauta par la fenêtre et s'enfuit en courant.

C'est à cette époque qu'il assista à sa première représentation d'opéra. C'était une révélation et a partir de ce jour il consacra toute sa vie à la musique.

81. le coeur gros
    (A) généreux
    (B) déluré
    (C) ravi
    (D) chagriné
    (E) absorbé

82. il rêvait de composition
    (A) en songe, il voyait des notes de musique
    (B) il avait toujours le même cauchemar
    (A) c'est la structure musicale qui l'intéressait
    (D) il ne dormait pas bien
    (E) il était très agité

83. La vocation de Berlioz se manifesta
    (A) tardivement
    (B) précocement
    (C) violemment
    (D) à retardement
    (E) tristement

84. Les parents de Berlioz
    (A) voulurent diriger son éducation
    (B) habitaient à l'étranger
    (C) détestaient la musique
    (D) étaient commerçants
    (E) l'encouragèrent à se consacrer à la musique

85. Hector Berlioz serait peut-être devenu médecin si
(A) son père ne l'avait pas voulu
(B) sa mère l'en avait prié
(C) sa tante lui avait légué un cadavre
(D) la vue d'un cadavre ne l'eût pas bouleversé
(E) les examen eussent été oraux

Un jour, en me promenant à la campagne, je me perdis. Après avoir marché plusieurs heures, fatigué, et mourant de soif et de faim, j'entrai chez un paysan dont la maison n'avait pas belle apparence mais c'était la seule aux environs.

Je priai celui-ci de me donner à dîner en payant. Il me donna du lait sans crème et du pain noir en me disant que c'était tout ce qu'il avait. Je bus ce lait pauvre et je mangeai ce mauvais pain: mais cela n'était pas beaucoup pour un homme épuisé de fatigue.

Alors, après avoir dit qu'il voyait bien que j'étais un honnête homme qui n'était pas là pour le trahir, ce paysan ouvrit une porte secrète à côté de sa cuisine, disparut, et revint un moment après avec un bon pein blanc, un jambon et une bouteille de vin; on joignit à cela une omelette, et j'eus un dîner magnifique. Alors mon hôte m'expliqua qu'il cachait ses vins et les bonnes choses à manger à cause des agents de Louis XV. S'ils savaient qu'il était riche, ils lui prendraient tout et le laisseraient dans la miseère comme la plupart des paysans du pays

86. <u>Un homme épuisé de fatigue</u>
(A) un être à bout de forces
(B) un homme las de travailler au puits
(C) un individu puisant de l'eau
(D) un homme bien reposé
(E) un être rassasié et dispos

87. Le paysan se montra
(A) généreux
(B) avare
(C) prudent
(D) distrait
(E) armé

88. Le narrateur du passage
(A) aime les mets compliqués
(B) préfère la nourriture simple mais saine
(C) craint les agents du roi
(D) emporte toujours un casse-croûte
(E) voyage sans argent

89. La mission des agents du roi était
(A) de distraire les paysans
(B) d'empêcher les paysans d'aller à la foire
(C) de contrôler la qualité du lait
(D) d'obliger les paysans à faire du pain noir
(E) de percevoir les impôts

90. La plupart des paysans
(A) tous les paysans
(B) une grande partie des paysans
(C) une minorité d'entre les paysans
(D) plusieurs paysans
(E) aucun paysan

Dimanche dernier, je suis sorti de chez moi au début de l'après-midi. Comme d'habitude, j'étais en retard et j'avais des visites particulièrement importantes à faire aux quatre coins de Paris.

J'allais prendre un autobus près de la gare de Passy. Tout au long du trottoir il y avait des autobus et, un peu plus loin, beaucoup de vieilles voitures, remplies de gens élégants qui, presque tous, allaient à Longchamps pour le premier jour des courses de chevaux.

Le soleil n'était pas extrêmement brillant mais il faisait bon. Il y avait déjà de petites feuilles aux arbres, et leurs fleurs dégageaient cette odeur pénétrante qui fait presque à elle seule le printemps de Paris.

J'ai décidé d'aller passer un quart d'heure dans le Bois de Boulogne. Là, c'était vraiment le printemps. Les premières barques commençaient à apparaître sure *le Grand Lac et le Chalet* de l'île semblait ouvert. Les roses n'étaient pas encore en fleurs mais il y avait déjà un certain nombre de promeneurs. Soudain, la pensée des visites que j'avais à faire m'a paru insupportable.

91. <u>aux quatre coins de Paris</u>
    (A) à divers endroits éloignés l'un de l'autre
    (B) aux places les plus connues de Paris
    (C) aux endroits inconnus des étrangers
    (D) en banlieue
    (D) aux coins des rues du Marais

92. <u>insupportable</u>
    (A) importante
    (B) désagréable
    (C) peu importune
    (D) flatteuse
    (E) irisée

93. L'auteur du passage aime-t-il faire des visites?
    (A) Il y est résigné puis change d'avis.
    (B) C'est son passe-temps favori.
    (C) Quand il pleut, il en ferait dix.
    (D) Seul, non, mais avec sa femme, volontiers.
    (E) Par un beau jour de printemps, il adore cela.

94. Quelle est l'attitude de l'auteur envers la nature?
    (A) Elle le fait bâiller.
    (B) Elle l'enchante au printemps.
    (C) Il aime son côté violent.
    (D) Il y est indifférent.
    (E) Il aime les tropiques.

95. Comment les gens élégants vont-ils aux courses?
    (A) A pied.
    (B) A cheval.
    (C) En voiture.
    (D) Ils n'y vont pas.
    (E) En métro.

De toutes les villes occupées en Gaule par les Romains, il y en a peu qui soient aussi pittoresques qu'Arles. La ville avait une grande importance commerciale et stratégique: c'était un des rares endroits où l'on pouvait traverser le Rhône. Sous l'Empire, elle devint donc une des grandes villes d'Europe. Aussi les ruines antiques y sont-elles plus nombreuses qu'ailleurs dans le Midi. Les Arènes, qui sont les mieux conservées d'Europe, rappellent les luttes sanglantes des gladiateurs. Aujourd'hui, l'aqueduc voisin, qui amena longtemps à Arles l'eau d'une source éloignée, fournit la preuve de l'habileté technique des architectes de l'époque.

Enfin le théâtre d'Arles est une des oeuvres, les plus gracieuses que l'antiquité nous a laissées. Certes, il est bien mutilé, ce théâtre; la plus belle de ses statues, la Vénus d'Arles, a été transportée dans un musée lointain, et le marbre de ses murs a servi à bâtir les églises chrétiennes de la ville.

La ville d'Arles s'appelle quelquefois la "Rome gauloise"; elle représente la fusion de deux races, d'où est née une civilisation qui continue les traditions de la Rome antique.

96. de l'époque
 (A) d'aujourd'hui
 (B) de demain
 (C) du temps des Grecs
 (D) du temps des Romains
 (E) du temps biblique

97. Pourquoi les ruines sont-elles si nombreuses à Arles?
 (A) Arles était une bourgade.
 (B) Arles était une grande ville.
 (C) Arles maintenait ses monuments en bon état.
 (D) Arles était la ville des Papes.
 (E) Arles était peuplée.

98. L'impression qui se dégage de ce passage est
 (A) un sentiment antiromain
 (B) de l'admiration pour le monde antique
 (C) du mépris pour les coutumes romaines
 (D) de l'aversion pour les Gaulois
 (E) un sentiment d'infériorité vis-à-vis de l'Europe

99. mutilé
    (A) décoré
    (B) guerrier
    (C) augmenté
    (D) diminué
    (E) paré

100. Combien de monuments antiques sont-ils cités par le narrateur?
    (A) Trois.
    (B) Quatre.
    (C) Six.
    (D) Deux.
    (E) Un.

The French Achievement Test (Sample 2)
Is Now Over.
After One Hour, Stop All Work.

ANSWER KEY TO TEST 2

1. A	26. C	51. D	76. A
2. B	27. E	52. A	77. C
3. D	28. B	53. E	78. A
4. A	29. C	54. C	79. B
5. C	30. C	55. E	80. D
6. B	31. D	56. C	81. D
7. A	32. A	57. B	82. A
8. D	33. D	58. B	83. B
9. C	34. A	59. C	84. A
10. E	35. C	60. C	85. D
11. A	36. D	61. A	86. A
12. C	37. D	62. C	87. C
13. C	38. A	63. D	88. B
14. E	39. D	64. B	89. E
15. B	40. E	65. A	90. B
16. A	41. A	66. C	91. A
17. E	42. D	67. B	92. B
18. D	43. D	68. A	93. E
19. C	44. B	69. D	94. B
20. A	45. A	70. B	95. C
21. E	46. D	71. C	96. D
22. D	47. B	72. A	97. B
23. C	48. A	73. E	98. B
24. E	49. D	74. A	99. D
25. A	50. D	75. B	100. A

ANSWER SHEET TEST 3

1 A B C D E	26 A B C D E	51 A B C D E	76 A B C D E
2 A B C D E	27 A B C D E	52 A B C D E	77 A B C D E
3 A B C D E	28 A B C D E	53 A B C D E	78 A B C D E
4 A B C D E	29 A B C D E	54 A B C D E	79 A B C D E
5 A B C D E	30 A B C D E	55 A B C D E	80 A B C D E
6 A B C D E	31 A B C D E	56 A B C D E	81 A B C D E
7 A B C D E	32 A B C D E	57 A B C D E	82 A B C D E
8 A B C D E	33 A B C D E	58 A B C D E	83 A B C D E
9 A B C D E	34 A B C D E	59 A B C D E	84 A B C D E
10 A B C D E	35 A B C D E	60 A B C D E	85 A B C D E
11 A B C D E	36 A B C D E	61 A B C D E	86 A B C D E
12 A B C D E	37 A B C D E	62 A B C D E	87 A B C D E
13 A B C D E	38 A B C D E	63 A B C D E	88 A B C D E
14 A B C D E	39 A B C D E	64 A B C D E	89 A B C D E
15 A B C D E	40 A B C D E	65 A B C D E	90 A B C D E
16 A B C D E	41 A B C D E	66 A B C D E	91 A B C D E
17 A B C D E	42 A B C D E	67 A B C D E	92 A B C D E
18 A B C D E	43 A B C D E	68 A B C D E	93 A B C D E
19 A B C D E	44 A B C D E	69 A B C D E	94 A B C D E
20 A B C D E	45 A B C D E	70 A B C D E	95 A B C D E
21 A B C D E	46 A B C D E	71 A B C D E	96 A B C D E
22 A B C D E	47 A B C D E	72 A B C D E	97 A B C D E
23 A B C D E	48 A B C D E	73 A B C D E	98 A B C D E
24 A B C D E	49 A B C D E	74 A B C D E	99 A B C D E
25 A B C D E	50 A B C D E	75 A B C D E	100 A B C D E

French Achievement Test

Sample 3

Time: one hour

Questions 1 to 20

DIRECTIONS: Each question consists of a sentence, part of which is underlined. From the five choices, select the one which, gramatically, could not *properly replace the underlined word or words in the sentence.*

1. Lorsqu'il était fatigué, le petit Jean faisait beaucoup de bruit en dormant.
   (A) ronflait
   (B) refusait de manger sa bouillie
   (C) envahissait l'Allemagne
   (D) se disputait avec sa soeur
   (E) démolissait ses pâtés de sable

2. La reine admira le poil roux des chiens de chasse.
   (A) le pelage
   (B) la pelouse
   (C) l'allure
   (D) le maintien
   (E) la beauté

3. Nous craignons la violence des vents qui viennent du midi.
   (A) méridionaux
   (B) septentrionaux
   (C) du Languedoc
   (D) de l'est
   (E) dénués de toute force

4. La carafe de vin, posée sur la table, paraissait tentante.
   (A) semblait parfaite
   (B) faire du feu
   (C) contenait du rouge supérieur
   (D) n'était pas entamée
   (E) appartenait au patron

5. Le jongleur rêvait toujours à la princesse qu'il avait rencontrée en Terre Sainte.
(A) de retourner au pays natal
(B) qu'il avait oublié le début du chant matinal
(C) le luth à la main
(D) de plaire à la comtesse
(E) il ira à Paris

6. Après une longue absence, il est malaisé de reprendre contact avec d'anciens amis.
(A) il est difficile
(B) elle fut obligée
(C) ils décidèrent
(D) elle refusa
(E) elle voulut

7. Jeanne assista au début de la représentation.
(A) au commencement
(B) à la fin
(C) allant
(D) à la moitié
(E) à la totalité

8. Malgré son naturel rusé, le renard finit par tomber dans le piège.
(A) finisse par être capturé
(B) se laissa ligoter par le loup
(C) eut le dessous dans cette aventure
(D) y perdit quelques dents
(E) ne parvint pas à détrôner le lion

9. Je me perdis à Londres par une nuit de brouillard.
(A) alors que la brume était épaisse
(B) en me heurtant à tous les coins de rues.
(C) sans pouvoir retrouver mon hôtel
(D) si elle avait été à l'heure
(E) malgré ma lampe de poche

10. Un vaisseau fantôme a disparu au large d'Ouessant avec tout son équipage.
(A) en mer
(B) largement
(C) en larguant les amarres
(D) avant-hier
(E) près de la côte bretonne

11. Que la foudre me pulvérise, si je mens!
(A) à cet instant même!
(B) sans la moindre pitié!
(C) rentrer tard
(D) si je ne me repens
(E) Seigneur Jacques!

12. La pancarte portait l'inscription "Défense de Fumer."
(A) Il est interdit de marcher sur le gazon
(B) Défense d'afficher
(C) Chasse interdite hors de saison
(D) tracer à l'encre invisible
(E) Interdit aux piétons

13. Il allait prendre la parole lorsque le vacarme le força à hésiter.
(A) les lampes s'éteignirent
(B) qu'il se tût
(C) les applaudissements crépitèrent
(D) le chef d'orchestre leva sa baguette
(E) son fils l'interrompit

14. A cause de ses remords, il redoutait la présence du Père.
(A) il se mit à trépigner de joie
(B) il avait le coeur gros
(C) il n'avait pas la conscience tranquille
(D) Jean devenait taciturne
(E) il cherchait à oublier sa peine en la noyant dans le vin

15. Lorsque Paul parvint au sommet, il était épuisé.
    (A) "Souviens-toi du vase de Soissons"
    (B) le général Soisson publia son rapport
    (C) ce fut une victoire pour la ville de Soissons
    (D) sa mère lui avait préparé son déjeuner sur l'herbe
    (E) ses soeurs l'attendaient

16. Est-ce son premier roman? Non, auparavant il en a publié un autre.
    (A) avant
    (B) l'année dernière
    (C) en 1965
    (D) demain
    (E) il y a dix ans

17. Ma mère m'a souvent raconté l'histoire de son premier carnet de bal.
    (A) car n'est-ce pas vrai?
    (B) Marcel Carné, le metteur en scène
    (C) Cornélie, la fille du boucher
    (D) France en version abrégée pour les enfants
    (E) la guerre de 1870

18. En la quittant, il lui prit la main et la baisa.
    (A) A la surprise de Marie
    (B) Sans hésiter
    (C) A ma surprise
    (D) Etonnée
    (E) Charmé

19. Ce n'était qu'un tout petit navire qui resta immobilisé.
    (A) et elle avait fait naufrage
    (B) mais il avait beaucoup navigué
    (C) mais qu'il était pimpant
    (D) et il n'avait pas d'équipage
    (E) au pont reluisant

20. Le carrosse de Cendrillon l'attendait lorsque minuit sonna.
    (A) au pied du massif de roses
    (B) mais elle était en retard
    (C) grâce au souhait de la bonne fée
    (D) derrière le château
    (E) demandez à minuit

Questions 21 to 40

DIRECTIONS: Each sentence or brief paragraph contains blank spaces. Under each blank space, there are five choices. Select the choice which fits in correctly with the context of the sentence or paragraph.

La belle Arthémise a bien ________ ; elle vient

21. (A) de la chance
    (B) de l'échéance
    (C) des champs
    (D) déchéance
    (E) de la chasse en

________ à un grave accident. Son cheval s'était emporté

22. (A) de prendre une chope
    (B) d'écharper
    (C) d'échapper
    (D) en écharpe
    (E) une écharde

et sans Gontran qui le saisit par la bride et réussit à le calmer, elle ________ dans le ravin ________

23. (A) avait été lancée
    (B) avait eu le projet
    (C) fut projeté
    (D) aurait été projetée
    (E) aurait été projeté

24. (A) broutille
    (B) qui broutait
    (C) broussailleux
    (D) broussailleuse
    (E) brousse

qui longe la route.

Ce qui paraît ________ au premier ministre est absurde

25. (A) déraisonnable
    (B) antipathique
    (C) criminel
    (D) logique
    (E) illogique

________ du chancelier; dans ces conditions comment veut-on

26. (A) aux yeux
    (B) à l'oeil
    (C) à l'ail
    (D) osait
    (E) oseille

que le roi ________ consolider les assises ________

27. (A) parte
    (B) parvienne à
    (C) parvenue
    (D) parvis
    (E) Puvis de Chavanne

28. (A) granitiques
    (B) marmoréennes
    (C) chancelantes
    (D) chancelière
    (E) charnelles

de son royaume?

Quand nous arrivâmes enfin à la ________ , l'heure de

29. (A) confiserie
    (B) librairie
    (C) basse-cour
    (D) bibliothèque
    (E) charcuterie

la fermeture ________ . Nous eûmes ________

30. (A) allait sonner
(B) allaient sonner
(C) aille sonner
(D) sonnera
(E) sonnet

31. (A) forte
(B) prêter main forte
(C) fort à faire
(D) force majeure
(E) forteresse

pour persuader la patronne à la mine ________ de nous

32. (A) renfrognée
(B) renfort
(C) raifort
(D) retors
(E) reine Claude

débiter quelques tranches de jambon.

Les campeurs ________ de dormir________

33. (A) a décidé
(B) avait décidé
(C) avaient décidé
(D) aurait des idées
(E) a des idées

34. (A) à la belle étoile
(B) à la lune rousse
(C) au soleil de minuit
(D) sur la lune
(E) sur la glace

lorsqu'ils s'aperçurent ________ qu'ils avaient oublié leurs ________

35. (A) de rien
(B) sans remarquer
(C) à leur ennui
(D) au soleil
(E) l'un l'autre

36. (A) champ
(B) couvertures
(C) casserole
(D) couvert
(E) couvercle

Si vous __________ décrire un ivrogne, vous contenteriez-

37. (A) devez
(B) deviez
(C) devriez
(D) de vie
(E) déviés

vous de __________ le déséquilibre de sa __________ ,

38. (A) sourire
(B) soulever
(C) souligné
(D) sous la ligne
(E) souligner

39. (A) détente
(B) détenue
(C) démarche
(D) marches
(E) des marches

le décousu de ses propos ou la __________ inextinguible de sa

40. (A) quelle
(B) qualité
(C) cruelle
(D) cresson
(E) crosse

soif?

Questions 41 to 60

DIRECTIONS: In each question, a situation is presented. Select from the five choices that follow, the choice which is the most appropriate response to the situation given.

41. La fenêtre de ma chambre donne sur le jardin. Le matin, je m'y accoude et j'ai la joie
(A) d'entendre les oiseaux pépier
(B) de prendre l'ascenseur
(C) de grimper à la sonnette
(D) de récurer les casseroles
(E) d'assister aux chutes du Niagara

42. Le petit Jean joue aux billes avec son bon ami Pierre qui les lui gagne toutes. Après le départ de ce dernier, Jean dit à sa mère:
    (A) Quel malfaiteur, ce Gaston!
    (B) Appelons les pompiers!
    (C) C'est de ta faute!
    (D) Les filles sont toutes les mêmes!
    (E) Je l'aime bien quand même!

43. En arrivant à l'aéroport, Marcel, un délégué en mission, apprend que l'avion qu'il devait prendre est en panne à Rome; il s'écrie:
    (A) Encore en grève!
    (B) Je vais rater l'ouverture du Congrès!
    (C) Il vaut mieux se faire couper les cheveux ici.
    (D) La tour prend garde de ne pas se laisser abattre.
    (E) Tous les jours, c'est la même chose!

44. Monsieur Dupont serre la main de son ami Leroi, en lui disant "au revoir, mon cher," et Leroi réplique:
    (A) Il a plu hier.
    (B) N'oublie pas mon pourboire.
    (C) Gare au feu vert.
    (D) Et, à très bientôt, j'espère.
    (E) Tu marches sur les bégonias.

45. Un jeune étranger accoste un passant à Marseille et lui demande où il pourrait acheter un saucisson à l'ail. L'autre répond:
    (A) Chez le pharmacien!
    (B) A la charcuterie, pardi!
    (C) Demandez au chef de gare s'il en a encore!
    (D) Au Café du Commerce!
    (E) Je n'en sais rien!

46. La petite fille voyage en auto avec ses parents. Elle est fatiguée et dit à sa mère:
    (A) C'est encore loin, maman?
    (B) Je voudrais jouer aux billes, Papa!
    (C) On peut retourner à l'école, Tante Marie?
    (D) Je veux cueillir des prunes.
    (E) Jean m'ennuie avec ses histoires.

47. Lucien arrive à Paris au milieu de la nuit. Il fait noir. Il demande à un agent de lui indiquer le chemin à l'hôtel. L'agent répond:
    (A) Revenez demain soir!
    (B) Prenez plutôt un taxi!
    (C) Le bateau mouche vous y mènera.
    (D) Allez plutôt à Pontoise.
    (E) Garde à vous!

48. Le maître explique aux enfants que Paris s'appelait autrefois Lutèce. Ensuite il leur pose des questions. Jean qui n'avait pas écouté, est interrogé. Il répond:
    (A) Paris s'appelait Lutèce.
    (B) Je ne sais pas.
    (C) Il y a des mouches sur le tableau.
    (D) Je porte une blouse.
    (E) Mon père est matelot.

49. Une dame se présente chez les Dubois et demande à voir la maîtresse de maison. La femme de chambre lui demande:

    (A) Il pleut dehors?
    (B) Plaît-il, Monsieur?
    (C) Pas de fromage, merci!
    (D) Madame Dupont ne reçoit pas.
    (E) C'est de la part de qui?

50. Michel casse un vase de prix. Sa mère le gronde. Il lui dit en pleurant:
    (A) Bien aimable à vous!
    (B) Je veux un citron pressé!
    (C) C'est l'empereur!
    (D) Demandez la Presse!
    (E) Je ne l'ai pas fait exprès!

51. J'arrive à l'hôtel très fatigué. Le patron me refuse ma clé en me disant:
    (A) Allez donc à l'hospice!
    (B) Sortez, petit galopin!
    (C) Vive le Général!
    (D) Revenez plus tard; votre chambre n'est pas faite.
    (E) Allez à l'auberge du cheval blanc.

52. Le guide fait visiter le musée aux touristes. Un jeune homme contemple la statue de la Vénus de Milo et dit au guide:
    (A) Qui lui a cassé les bras?
    (B) J'adore le gothique.
    (C) La musique, voilà mon fort.
    (D) Quel coloris!
    (E) Le beau coucher de soleil!

53. Au restaurant, les Martin hésitent en lisant la carte; le garçon suggère:
    (A) Quelques briques?
    (B) Des boulets?
    (C) Une tuile?
    (D) Du poulet?
    (E) Du voile?

54. Elise cherche un appartement. Elle voit une annonce qui lui convient. Elle la lit à son mari:
    (A) Une pièce d'eau à Versailles.
    (B) Deux pièces et cuisine à Neuilly.
    (C) Une cousine à Paris.
    (D) Une belle ville d'eau.
    (E) Un étang à louer.

56. "Les Alliés ont débarqué en France en 1944." Jean lit cette phrase dans son livre d'histoire, et il demande à sa soeur:
(A) Tu sais où c'est la côte normande, toi?
(B) C'est un atelier du nord?
(C) L'Allier, c'est une rivière, Jeanne?
(D) J'aime les contes, et toi?
(E) J'ai soif, Nadine.

57. Les deux amis parlent politique et ne peuvent se mettre d'accord. Ils en appellent à un troisième pour les départager. Celui-ci, qui ne veut pas se compromettre, déclare:
(A) C'est Jean qui a raison.
(B) Vous avez tort, mon cher.
(C) Jean a raison et Pierre n'a pas tort.
(D) Vous êtes idiots!
(E) C'est pourtant simple!

58. Le coiffeur doit faire une course. Il fixe une pancarte à la porte de son magasin:
(A) Fermé jusqu'à lundi.
(B) Congé annuel.
(C) Parti à la chasse.
(D) Allez à la maison.
(E) Je reviens tout de suite.

59. La couturière demande à Jeanne d'essayer la robe. Celle-ci l'enfile et remarque:
(A) Elle me va bien.
(B) Je vais bien.
(C) Je vais bien mal.
(D) Elle a mal au coeur.
(E) Il a le mal du pays.

60. On demande aux étudiants de remplir une fiche et d'indiquer la langue étrangère qu'ils désirent étudier. L'un d'entre eux répond:
    (A) La langue de boeuf.
    (B) La longue version.
    (C) La langue russe.
    (D) La rousse.
    (E) Le Larousse.

Questions 61 to 80

DIRECTIONS: Choose the word or phrase that fits best into the blank space in each sentence.

61. On vend des livres à la ________ .
    (A) librairie
    (B) libraires
    (C) livresque
    (D) littérature
    (E) latin

62. Donnez-moi votre adresse afin que je puisse trouver votre ________
    (A) masse
    (B) messe
    (C) maison
    (D) museau
    (E) morceau

63. Après avoir sauvé cet enfant, il est devenu le ________ du quartier.
    (A) héritier
    (B) hôtel
    (C) hibou
    (D) habit
    (E) héros

64. Que c'est monotone de manger tous les jours de la soupe aux ________ .
    (A) chenilles
    (B) choix
    (C) choux
    (D) chêne
    (E) chaumes

65. Mes enfants font leurs devoirs dans le ________ .
    (A) cartable
    (B) cabinet de travail
    (C) salle de bains
    (D) bureau de poste
    (E) salle d'attente

66. Ce pauvre homme a perdu son fils ________ à la guerre.
    (A) seul
    (B) seulement
    (C) uniquement
    (D) unique
    (E) seuls

67. Jeanne vient de quitter la France. Elle est ________ pour New-York.
    (A) sortie
    (B) laissée
    (C) délaissée
    (D) farcie
    (E) partie

68. Je suis fatigué. Je vais m' ________ .
    (A) envoler
    (B) épanouir
    (C) enfuir
    (D) asseoir
    (E) essuyer

69. Ma voiture est en panne. Je l'ai laissée au ________ .
(A) garage
(B) grange
(C) guenon
(D) gare
(E) gruyère

70. Il n'a pas d'argent. Il va en ________ à son père.
(A) ôter
(B) prêter
(C) apprêter
(D) emprunter
(E) broder

71. Regardez ce ballon rouge qui vient de s'envoler. Il est ________ dans les nuages.
(A) perdu
(B) vendu
(C) défendu
(D) attendu
(E) éperdu

72. La chèvre broutait de l' ________ dans la prairie.
(A) or
(B) herbe
(C) tomate
(D) ardoise
(E) évier

73. Cet enfant ne mange rien. Aussi qu'il est ________ !
(A) gros
(B) bourré
(C) gras
(D) gai
(E) chétif

74. Pour acheter un ticket, il faut áller au ________ .
(A) gouvernement
(B) guichet
(C) gastronome
(D) grelot
(E) garnement

75. J'ai été trempé. J'avais oublié mon ________ .
(A) infernal
(B) enfer
(C) ferme
(D) impair
(E) imperméable

76. Il est soigneux. Il range ses timbres dans un ________ .
(A) amiral
(B) album
(C) aluminium
(D) ardeur
(E) arrosoir

77. Il a refusé vos conditions. Il a ________ bon jusqu'au bout.
(A) tenu
(B) chenu
(C) bu
(D) refusé
(E) dansé

78. L'élève a été ________ pour ses mauvaises notes.
(A) gardé
(B) grincé
(C) grondé
(D) guéri
(E) glacé

79. Il n'est pas sociable; il ne reçoit ________ .
(A) tout le monde
(B) gens
(C) personne
(D) rien
(E) nulle

80. Les portières fermées, le train s' ________ .
    (A) oublia
    (B) ébruita
    (C) assoupit
    (D) éveilla
    (E) ébranla

Questions 81 to 100

DIRECTIONS: Each passage is followed by several questions. For each question, select the word or expression which most satisfactorily answeres the question or completes the statement.

Les députés sont presque tous à leur banc. Pour la première fois depuis des années, l'Assemblée Française est une foule. Soudain, les applaudissements éclatent — il entre — il est entré! C'est le Général de Gaulle qui est venu à l'Assemblée après avoir accepté le poste du chef du gouvernement français. Avant de s'asseoir, le Général a levé les deux mains dans un geste qui lui est familier — le geste de la victoire. Il a l'air d'un bourgeois de province, bien habillé. Il est assis maintenant dans une chambre où avant lui, beaucoup de présidents du conseil se trouvaient avant d'être battus par les ambitions des politiciens et par les événements. Il se lève; il regarde à droite et à gauche. Il commence a lire son texte. Le style est un peu sec mais il ne dit et ne veut dire que l'essential dans sa déclaration de trois pages-la plus courte qu'une assembleé Française ait jamais entendue d'un chef de gouvernement.

Il demande le pouvoir pour six mois. Il donne ses trois slogans — "unité, intégrité, indépendance," — et puis il descend; il s'en va vite. Ainsi s'est passé un des grands moments de ces journées que l'histoire appellera peut-être la Révolution de 1958.

81. à leur banc
    (A) à leur place
    (B) au banquet
    (C) à la banque
    (D) banquiers
    (E) en barque

82. D'après ce passage, il est clair que l'Assemblée
    (A) refuse le pouvoir au Général
    (B) est houleuse et hostile
    (C) admire le Général
    (D) est morne et indifférente
    (E) est dépeuplée

83. Le style de l'homme politique dont il est question est
    (A) lyrique
    (B) emporté
    (C) ému
    (D) froid
    (E) gauche

84. Décrivez le Général:
    (A) Il a l'air d'un prince.
    (B) Il semble un paysan.
    (C) Il paraît être vêtu de pourpre.
    (D) Il porte une tenue de travail.
    (E) Il est de mise soignée.

85. Son discours est
    (A) long
    (B) diffus
    (C) précis
    (D) complexe
    (E) allégorique

Le premier janvier, au matin, le bon M. Chanterelle sortit à pied de son hôtel, marchant avec peine, car il lui était pénible d'aller au froid par les rues pleines de neige. Il avait été malade, et ne faisait de visites qu'a sa nièce, mademoiselle de Doucine, âgée de sept ans.

Appuyé sur sa canne, il parvint péniblement à la rue Saint-Honoré et entra dans la boutique de madame Pinson. On y voyait en abondance des jouets d'enfants, et l'on avait peine à se mouvoir au milieu des automates danseurs, des oiseaux qui chantaient, et des poupées habillées les unes en dames, les autres en servantes.

M. Chanterelle fit choix d'une poupée. Celle qu'il préféra était vêtue comme madame la princesse de Savoie à son arrivée en France. Il sourit en pensant à la joie qu'une si belle poupée donnerait à mademoiselle de Doucine, et quand il reçut son paquet, une expression de joie passa sur son aimable visage. Il remercia poliment madame Pinson, prit la princesse sous son bras et s'en alla vers la maison où il savait que mademoiselle de Doucine l'attendait.

86. Avec peine
(A) avec difficulté
(B) avec aisance
(C) avec du pain
(D) sans ralentir
(E) selon l'heure

87. Chanterelle fréquente-t-il le monde depuis sa maladie?
(A) Il sort tous les soirs.
(B) Il donne une soirée par semaine.
(C) Il ne va voir que sa nièce.
(D) Ses invités l'assiègent tous les soirs.
(E) Il ne visite personne.

88. Comment définiriez-vous le caractère de M. Chanterelle?
(A) Il est doux.
(B) C'est un homme violent.
(C) Il injurie les passants.
(D) Il est jaloux.
(E) Il est paresseux.

89. Que reflète le visage de M. Chanterelle lorsqu'il regarde la poupée?
(A) la tendresse
(B) la fureur
(C) l'avarice
(D) l'envie
(E) la gourmandise

90. A quelle occasion M. Chanterelle fit-il cadeau d'une poupée à sa nièce?
    (A) C'est son anniversaire.
    (B) C'est son cadeau hebdomadaire.
    (C) C'est sa première communion.
    (D) C'est sa fête.
    (E) Ce sont ses étrennes.

André, le fils du médecin du village, avait pour compagnon un petit paysan, nommé Gustin, plus âgé que lui et beaucoup plus fort. Malgré cette différence d'âge et de force, Gustin se soumettait à toutes les volontés d'André. André donnait des ordres pour le seul plaisir d'être obéi. Cette habitude de commander sans raison était très mauvaise. La mère d'André décida de mettre fin à ce despotisme. Un jour elle fit venir les deux garçons devant elle. Après avoir réprimandé André sur son désir de faire toujours le maître, elle lui dit que Gustin était son égal, son ami, non son serviteur; elle voulait qu'ils changent entièrement de conduite. Gustin la comprit très vite. Le lendemain quand les deux garçons jouaient dans les bois, il remplit un sac de pierres lourdes et ordonna à André de le porter. André obeit. Ils arrivèrent ainsi devant la mère d'André, André portant humblement le sac, Gustin tout fier de le voir fatigué. Ainsi cette première leçon d'égalité n'avait pas aboli la tyrannie; elle avait tout simplement changé de tyran. Combien de fois de grands événements dans la vie nous forcent à nous rappeler cette leçon.

91. <u>Gustin se soumettait à toutes les volontés d'André.</u>
    (A) Gustin obéissait à André.
    (B) André écoutait Gustin.
    (C) Gustin et André obéissaient.
    (D) Ils commandaient.
    (E) Ils se fâchaient.

92. Pourquoi la mère d'André décida-t-elle de mettre fin au comportement de son fils envers Gustin?
    (A) Son fils devenait impertinent.
    (B) Il prenait de mauvaises habitudes.
    (C) L'autre enfant s'était plaint.
    (D) La vie est trop difficile.
    (E) Le docteur n'aimait pas cela.

93. D'après cette histoire, vous semble-t-il que la mère ait bien agi?
    (A) La mère avait de bonnes intentions, mais elle ne s'était pas mise à la portée des enfants.
    (B) Elle avait tort; le résultat l'a montré.
    (C) Elle avait des idées confuses.
    (D) Elle n'aurait pas dû écouter le mari.
    (E) La mère de Gustin n'était pas sotte non plus.

94. Que pensez-vous de la conclusion?
    (A) Elle fait montrer l'ironie.
    (B) Elle fait rire.
    (C) Elle fait pleurer.
    (D) Elle est hostile à André.
    (E) Elle est favorable à Gustin.

95. La mère avait réprimandé André.
    (A) Elle l'avait complimenté.
    (B) Elle l'avait insulté.
    (C) Elle lui avait fait des remontrances.
    (D) Elle l'avait gâté.
    (E) Elle l'avait battu.

Depuis 1945, la réorganisation de l'armée a constitué un des problèmes les plus importants de la vie française. Déjà complexe en lui-même, il a été aggravé par les responsabilités auxquelles la France a dû faire face. La persistance de la guerre d'Indochine et la signature du pacte. Nord-Atlantique ont contraint le pays à fournir un effort considérable pour la défense nationale. A la fin de 1953, la France entretenait 900,000 hommes sous les armes. Elle avait constitué 25 divisions, dont 12 étaient en Europe, 10 en Indochine, 2 en Afrique du Nord et 1 dans les autres territories d'outre-mer.

La durée du service militaire a été portée d'un an à dix-huit mois par la loi du premier décembre 1950. Les conscrits sont appelés à l'âge de vingt et un ans. Les étudiants peuvent obtenir un sursis s'ils ont suivi des cours avancés de préparation militaire dans les institutions où il sont inscrits. De dix-sept à vingt ans, tous les jeunes Français sont, d'ailleurs, soumis à une instruction militaire élémentaire.

96. Il a été <u>aggravé</u>
    (A) rendu plus sérieux
    (B) rendu moins sérieux
    (C) amoindri
    (D) ridiculisé
    (E) rendu plus souple

97. <u>sous les armes</u>
    (A) en guerre
    (B) en paix
    (C) dans l'armée
    (D) dans la gendarmerie
    (E) au feu

98. L'auteur indique qu'il
    (A) est anti-militariste
    (B) comprend la situation militaire de la France
    (C) est opposé à la guerre d'Indochine
    (D) propose une zone d'expansion militaire
    (E) a un fils sous les drapeaux

99. Quand un étudiant obtient un sursis, il peut
    (A) faire la grasse matinée
    (B) devenir officier
    (C) entrer dans l'Etat-Major
    (D) devenir matelot
    (E) continuer ses études

100. La réorganisation de l'armée française est
    (A) simple
    (B) suffisante
    (C) languissante
    (D) précoce
    (E) compliquée

The French Achievement Test (Sample 3)
Is Now Over.

After One Hour, Stop All Work.

ANSWER KEY TO TEST 3

1.	C	26.	A	51.	D	76.	B
2.	B	27.	B	52.	A	77.	A
3.	E	28.	C	53.	D	78.	C
4.	B	29.	E	54.	B	79.	C
5.	E	30.	A	55.	D	80.	E
6.	E	31.	C	56.	A	81.	A
7.	C	32.	A	57.	C	82.	C
8.	A	33.	C	58.	E	83.	D
9.	D	34.	A	59.	A	84.	E
10.	B	35.	C	60.	C	85.	C
11.	C	36.	B	61.	A	86.	A
12.	D	37.	B	62.	C	87.	C
13.	B	38.	E	63.	E	88.	A
14.	A	39.	C	64.	C	89.	A
15.	A	40.	B	65.	B	90.	E
16.	D	41.	A	66.	D	91.	A
17.	A	42.	E	67.	E	92.	B
18.	D	43.	B	68.	D	93.	A
19.	A	44.	D	69.	A	94.	A
20.	E	45.	B	70.	D	95.	C
21.	A	46.	A	71.	A	96.	A
22.	C	47.	B	72.	B	97.	C
23.	D	48.	B	73.	E	98.	B
24.	C	49.	E	74.	B	99.	E
25.	D	50.	E	75.	E	100.	E

ANSWER SHEET TEST 4

1	A	B	C	D	E	26	A	B	C	D	E	51	A	B	C	D	E	76	A	B	C	D	E
2	A	B	C	D	E	27	A	B	C	D	E	52	A	B	C	D	E	77	A	B	C	D	E
3	A	B	C	D	E	28	A	B	C	D	E	53	A	B	C	D	E	78	A	B	C	D	E
4	A	B	C	D	E	29	A	B	C	D	E	54	A	B	C	D	E	79	A	B	C	D	E
5	A	B	C	D	E	30	A	B	C	D	E	55	A	B	C	D	E	80	A	B	C	D	E
6	A	B	C	D	E	31	A	B	C	D	E	56	A	B	C	D	E	81	A	B	C	D	E
7	A	B	C	D	E	32	A	B	C	D	E	57	A	B	C	D	E	82	A	B	C	D	E
8	A	B	C	D	E	33	A	B	C	D	E	58	A	B	C	D	E	83	A	B	C	D	E
9	A	B	C	D	E	34	A	B	C	D	E	59	A	B	C	D	E	84	A	B	C	D	E
10	A	B	C	D	E	35	A	B	C	D	E	60	A	B	C	D	E	85	A	B	C	D	E
11	A	B	C	D	E	36	A	B	C	D	E	61	A	B	C	D	E	86	A	B	C	D	E
12	A	B	C	D	E	37	A	B	C	D	E	62	A	B	C	D	E	87	A	B	C	D	E
13	A	B	C	D	E	38	A	B	C	D	E	63	A	B	C	D	E	88	A	B	C	D	E
14	A	B	C	D	E	39	A	B	C	D	E	64	A	B	C	D	E	89	A	B	C	D	E
15	A	B	C	D	E	40	A	B	C	D	E	65	A	B	C	D	E	90	A	B	C	D	E
16	A	B	C	D	E	41	A	B	C	D	E	66	A	B	C	D	E	91	A	B	C	D	E
17	A	B	C	D	E	42	A	B	C	D	E	67	A	B	C	D	E	92	A	B	C	D	E
18	A	B	C	D	E	43	A	B	C	D	E	68	A	B	C	D	E	93	A	B	C	D	E
19	A	B	C	D	E	44	A	B	C	D	E	69	A	B	C	D	E	94	A	B	C	D	E
20	A	B	C	D	E	45	A	B	C	D	E	70	A	B	C	D	E	95	A	B	C	D	E
21	A	B	C	D	E	46	A	B	C	D	E	71	A	B	C	D	E	96	A	B	C	D	E
22	A	B	C	D	E	47	A	B	C	D	E	72	A	B	C	D	E	97	A	B	C	D	E
23	A	B	C	D	E	48	A	B	C	D	E	73	A	B	C	D	E	98	A	B	C	D	E
24	A	B	C	D	E	49	A	B	C	D	E	74	A	B	C	D	E	99	A	B	C	D	E
25	A	B	C	D	E	50	A	B	C	D	E	75	A	B	C	D	E	100	A	B	C	D	E

French Achievement Test

Sample 4

Time: one hour

Questions 1 to 20

DIRECTIONS: Each question consists of a sentence, part of which is underlined. From the five choices, select the one which, gramatically, could not *properly replace the underlined word or words in the sentence.*

1. Avant de laver les plats, mettez-les dans l'évier.
   (A) il faut que je les vide
   (B) jetez les détritus
   (C) qu'elle lui ait écrit
   (D) que je n'oublie pas de faire chauffer l'eau
   (E) rinsez-les

2. On va draguer le fleuve pour retrouver l'épave du Chambord.
   (A) à empreintes digitales
   (B) tout le long de la côte
   (C) du Nord au Sud
   (D) grâce à une pompe mécanique
   (E) à minuit, aujourd'hui

3. Le choc a heurté le vase et il est brisé.
   (A) N'y touchez pas;
   (B) Et son coeur, son pauvre coeur,
   (C) Que je vous explique la manoeuvre,
   (D) Ce pot dont vous parlez
   (E) Vous dites qu'il est fêlé? Non,

4. Vous aurez plus de chance de trouver un appartement. en banlieue qu'à Paris.
   (A) si vous connaissez un propriétaire.
   (B) au dernier étage qu'au premier
   (C) si vous lisez les petites annonces
   (D) à la fin du mois
   (E) car il n'y en a pas

5. Au lieu d'aller à l'école, Jean joue à la toupie.
   (A) il flâne sur le boulevard
   (B) il se cache au grenier
   (C) Marie va voir son amie
   (D) se mettre à lire
   (E) il vaut mieux étudier chez soi

6. C'est à Sèvres qu'on fabrique des porcelaines de prix.
   (A) qu'ils passent leurs congés
   (B) et non à Neuilly qu'on va le dimanche
   (C) sur Seine que j'aime aller en vacances
   (D) que je vous ai vue la première fois
   (E) la chèvre donnera du lait

7. Je vous ordonne de revenir ici sur-le-champ.
   (A) vous en aller
   (B) d'appeler la police
   (C) fermer la porte
   (D) finir vos devoirs
   (E) saluer le Président

8. C'était à l'aube qu'on menait les chevaux à l'abreuvoir.
   (A) d'un jour de printemps de 1958
   (B) et le soleil ne s'était pas encore levé
   (C) qu'elle aperçut la silhouette de l'homme
   (D) rentrons à la maison
   (E) qu'elle se mit à songer à lui

9. Elle fut éblouie par la richesse inouie des tapisseries.
   (A) quand elle le vit venir à elle
   (B) grâce à son charme de grand seigneur
   (C) par la munificence du train de maison
   (D) sans avoir le temps de maîtriser ses sentiments
   (E) qu'elle ne put contenir sa joie

10. Ce qui le rend antipathique, c'est sa mine renfrognée.
   (A) n'est pas bien grave
   (B) vous savez, je m'en moque
   (C) à l'une, est ce qui attire l'autre
   (D) court à la gare pour ne pas rater le train
   (E) c'est sa mise négligée

11. Elle avait refusé de suivre le traitement prescrit par son médecin.
   (A) en disant non
   (B) qu'il y est
   (C) qu'il vienne prendre le thé
   (D) d'aller prendre le thé
   (E) sans donner d'explication à sa mère

12. L'animal fut pris au piège tendu par le chasseur.
   (A) que le chasseur avait préparé
   (B) à la joie du trappeur
   (C) préparée par Lucien
   (D) et la pauvre bête souffrit beaucoup
   (E) vers trois heures du matin

13. On pavoise la ville en l'honneur de Jeanne d'Arc.
   (A) qu'elle fut assiégée
   (B) pour célébrer le quatorze juillet
   (C) de la place de la République à la Bastille
   (D) en chantant la Marseillaise
   (E) avec enthousiasme

14. A cause de son deuil, Marie fit teindre sa robe en noir.
    (A) Pour avoir l'air plus élégante
    (B) Pour qu'il ait l'air plus élégant
    (C) Je ne sais pas pourquoi
    (D) Il est vrai que
    (E) Pour ne pas être en reste

15. Méfiez-vous donc si votre voisin a un fils doué pour le piano!
    (A) On m'a dit que
    (B) Il vaut mieux ne pas
    (C) Heureusement
    (D) Grâce à Dieu
    (E) N'oubliez pas que

16. Valérie languissait à l'ombre des grands palmiers.
    (A) qu'elle rêvait aux palmiers d'Afrique
    (B) et se perdait dans de douces rêveries
    (C) loin de ceux qu'elle aimait
    (D) perdue dans la brousse africaine
    (E) et dépérissait à vue d'oeil

17. Si elle avait éteint la lampe, le malfaiteur ne l'aurait pas vue.
    (A) il n'aurait pas fallu appeler les pompiers
    (B) elle n'aurait pas vu clair
    (C) Le bandit la vit
    (D) sa silhouette aurait disparu
    (E) Jean aurait compris

18. Malheureusement, il a échoué trois fois à son examen d'entrée.
    (A) Il faut vous dire qu'
    (B) C'est bête mais
    (C) Oh, le pauvre
    (D) Mettez-vous à sa place;
    (E) La petite Marie

19. Elle avait des cauchemars après avoir mangé un repas copieux.
    (A) quand elle pensait à l'épreuve orale
    (B) qu'elle avait mangés
    (C) quand elle regardait son portrait
    (D) rien qu'en pensant à lui
    (E) qui la faisaient frissonner

20. Madame Dupont partait à la campagne au mois d'août.
    (A) pour se reposer
    (B) avec ses enfants
    (C) pour soigner son foie
    (D) grâce à la générosité du maire
    (E) se reposait

Questions 21 to 40

DIRECTIONS: Each sentence or brief paragraph contains blank spaces. Under each blank space, there are five choices. Select the choice which fits in correctly with the context of the sentence or paragraph.

Ce garçon qui fait ________ au lieu d'aller en classe

21. (A) l'école buissonnière
    (B) l'école de médecine
    (C) l'école vétérinaire
    (D) les Beaux-Arts
    (E) la Sorbonne

en sera ________ lorsqu'il ________ beaucoup plus tard

22. (A) félicité
    (B) fusillé
    (C) poché
    (D) passé
    (E) puni

23. (A) comprend
    (B) avait compris
    (C) comprenne
    (D) a compris
    (E) comprendra

l'étendue de sa __________ .

24. (A) intelligence
    (B) idiotie
    (C) sottise
    (D) fureur
    (E) habileté

Certains historiens de la __________ pensent que le véri-

25. (A) science
    (B) littérature
    (C) chimie
    (D) poésie pure
    (E) théâtre

table héros de la __________ de Roland est l'empereur

26. (A) Chanson
    (B) Chant
    (C) Chanteur
    (D) Chantal
    (E) Charmes

__________ ; nous ne sommes pas de cet __________ .

27. (A) Charlot
    (B) Charlotte
    (C) Charlatan
    (D) Charlemagne
    (E) Charleston

28. (A) idée
    (B) avis
    (C) usine
    (D) osé
    (E) ordre

Quel est le __________ du théâtre dans la vie __________ ?

29. (A) roule
    (B) rôde
    (C) râle
    (D) roulette
    (E) rôle

30. (A) d'autrefois
    (B) de jadis
    (C) de demain
    (D) du futur
    (E) d'aujourd'hui

Selon certains, c'est de nous ________ alors que d'autres

31. (A) distraire
    (B) tromper
    (C) disserter
    (D) détresse
    (E) démence

sont d'avis contraire et voudraient que le théâtre ________

32. (A) accomplit
    (B) accomplît
    (C) ait un complice
    (D) accomplissent
    (E) accomplissait

sa mission éternelle: nous enseigner le bien.

En France, la femme conquit le droit de ________ après

33. (A) vaquer
    (B) voter
    (C) veaux
    (D) votre
    (E) vautrer

bien des ________ dus à l'hésitation du corps ________ qui

34. (A) du lait
    (B) des lais
    (C) délais
    (D) délayage
    (E) débris

35. (A) électoral
    (B) électeurs
    (C) électoraux
    (D) lecteurs
    (E) locataire

________ une transformation subite du nombre d'électeurs.

36. (A) désirait
    (B) évitait
    (C) croyait
    (D) craignait
    (E) voulait

Les __________ qui veulent visiter Paris en __________

37. (A) touristes
(B) tourelles
(C) torts
(D) tares
(E) tornades

38. (A) quelque
(B) quel
(C) quelle
(D) quelques
(E) quels

jours ont fort à __________ : il faut qu'ils courent d'un bout

39. (A) fatiguer
(B) faire
(C) fouetter
(D) farce
(E) fuir

de Paris à l' __________ , en risquant d'oublier un monument

40. (A) envers
(B) Auvergne
(C) au revoir
(D) oeuvre
(E) autre

célèbre.

Questions 41 to 60

DIRECTIONS: In each question, a situation is presented. Select from the five choices that follow, the choice which is the most appropriate response to the situation given.

41. L'autobus vient de s'arrêter. Certains voyageurs sont descendus. Que crie le receveur à ceux qui attendent pour monter?
(A) Tout le monde descend!
(B) A table!
(C) Bon appétit!
(D) A vous l'honneur!
(E) En voiture!

42. Le gouvernement vient d'acquérir une toile célèbre d'un peintre de la Renaissance. Elle sera probablement exposée:
(A) au café
(B) au musée
(C) à l'église
(D) à la préfecture
(E) à l'école

43. Un touriste se plaint d'une inondation dans sa salle de bains. La femme de chambre lui demande:
(A) Voulez-vous du café?
(B) L'eau est-elle assez chaude?
(C) Avez-vous fermé le robinet?
(D) Quelle heure est-il?
(E) Rappelez-moi dans une heure?

44. Quand le maître fronce le sourcil, les élèves pensant qu'il est:
(A) ravi
(B) mécontent
(C) charmé
(D) cassé
(E) adoré

45. Le médecin examine le petit Jean dont la figure est pleine de boutons et dit:
(A) C'est une crise d'appendicite
(B) C'est une petite rougeole
(C) Une fracture du coude
(D) Vous avez le torticolis
(E) C'est une angine aigue

46. Mélanie paye son terme. La concierge lui remet un papier, disant:
(A) Votre quittance, Madame.
(B) Le bail, Monsieur.
(C) C'est une contravention.
(D) Merci d'avoir pensé à mon chien.
(E) A Dieu ne plaise!

47. Impossible d'aller de New-York à San Francisco! Pourquoi?
    (A) Parce qu'il fait beau!
    (B) A cause de la grève!
    (C) Ce n'est pas assez cher!
    (D) Parce que c'est interdit!
    (E) Défense d'afficher!

48. Est-ce vrai que vous n'aviez pas d'électricité pendant trois heures?
    (A) Oui, il y avait une panne
    (B) Oui, il y avait du pain
    (C) La compagnie du gaz était en grève
    (D) Oui, c'est faux
    (E) C'est trop beau

49. Suzanne dit à son mari que leur appartement est trop petit. Il répond:
    (A) Tu as raison, déménageons!
    (B) Il fait assez clair!
    (C) Ta mère déménage?
    (D) D'accord, achetons un caniche!
    (E) Sans blague? Il pleut?

50. Un malfaiteur armé se jette sur le chevalier et crie:
    (A) Appelez la police!
    (B) La bourse ou la vie!
    (C) Je ne vous aime pas!
    (D) Venez au carnaval!
    (E) Vive le vin!

51. L'homme gisait près du fossé, la mâchoire fracassée. Le lendemain on lisait dans les journaux:
    (A) Vente réclame.
    (B) Un crime a été commis
    (C) On commémore un anniversaire
    (D) Les commerçants partent
    (E) Crème et oeufs

52. Si vous voulez éviter la rouille des outils, que faut-il faire?
(A) écrire au Père Noel
(B) aller voir votre député
(C) boire du thé
(D) les graisser et les ranger
(E) les engraisser et les ronger

53. M. Dupont veut faire une réclamation: il trouve que le taux des impôts est trop élevé. Il écrit une lettre:
(A) au percepteur
(B) au précepteur
(C) au prêtre
(D) au partisan
(E) au prolétaire

54. On annonce une causerie à la radio. Mme Dupont appelle sa fille et lui dit:
(A) Ginette, viens écouter de la belle musique.
(B) Georgette, un air d'opéra!
(C) Gaston, ton programme favori!
(D) Suzette, ton cours d'histoire de l'art!
(E) Paule, un film sur l'équitation.

55. Certains jours de classe on attend avec impatience:
(A) la distribution de gifles
(B) que la cloche sonne
(C) l'arrivée des gâteaux
(D) le départ de l'avion
(E) la fuite des souris

56. Le petit Paul est toujours le premier en classe. Sa mère est ravie. Elle l'appelle:
(A) mon petit prodige
(B) ma petite folle
(C) Toto, le prodigue
(D) tête de linotte
(E) tête de bois

57. Lorsqu'on va au théâtre, en France, il faut toujours donner un pourboire:
    (A) à l'ouvrier
    (B) à l'oeuvre
    (C) à l'ouvreuse
    (D) à l'ouverture
    (E) à l'ouvrière

58. L'été je dors jusqu'à midi. On appelle cela:
    (A) dormir à la belle étoile
    (B) faire la grasse matinée
    (C) engraisser
    (D) être matinal
    (E) brûler la chandelle par les deux bouts

59. Jean a de la chance; il n'a pas besoin de travailler. Pourquoi?
    (A) il est paresseux
    (B) il vit à la campagne
    (C) sa compagne vit à la campagne
    (D) on l'accompagne à la campagne
    (E) il vit de ses rentes

60. Que faites-vous lorsque vous n'êtes pas d'accord avec quelqu'un?
    (A) je l'applaudis
    (B) je hausse les épaules
    (C) je joue des coudes
    (D) je m'assieds
    (E) je me dresse

Questions 61 to 80

DIRECTIONS: Choose the word or phrase that fits best into the blank space in each sentence.

61. Vous êtes en retard et pour cette raison vous serez__________.
    (A) puni
    (B) pervers
    (C) perclus
    (D) revers
    (E) verdure

62. Paul n'a guère d'argent et il préfère acheter des meubles __________ .
    (A) de feutre
    (B) à la fois
    (C) d'occasion
    (D) sous main
    (E) de rencontre

63. Avec toutes ces visites, je ne sais où __________ de la tête.
    (A) tourner
    (B) garder
    (C) donner
    (D) retourner
    (E) toucher

64. Le soleil se couche à l' __________ .
    (A) été
    (B) nuit
    (C) oriental
    (D) occiput
    (E) occident

65. Depuis qu'il a perdu un oeil ce pauvre chien est __________ .
    (A) brun
    (B) bouché
    (C) brique
    (D) barrique
    (E) borgne

66. A quoi bon ________ sans avoir rien à dire?
    (A) parler
    (B) frôler
    (C) parole
    (D) teindre
    (E) casser

67. La bonne qui ne faisait pas son travail a été ________ par Mme Dupont.
    (A) démissionner
    (B) congédiée
    (C) remise
    (D) partir
    (E) arrivée

68. Lorsque Pierre a des soucis, son visage devient ________ .
    (A) sucré
    (B) marron
    (C) maussade
    (D) pluvieux
    (E) ruban

69. Le marchand est content parce que le ________ a acheté deux couteaux.
    (A) crevette
    (B) cadeau
    (C) caserne
    (D) carte
    (E) client

70. Au magasin, il y a de belles chaussures à l' ________ .
    (A) étable
    (B) étuve
    (C) assiette
    (D) épouvante
    (E) étalage

71. La __________ Marguerite aimait raconter des histoires.
(A) rue
(B) grain
(C) gros
(D) reine
(E) train

72. __________ donc votre robe; elle est fripée.
(A) Repassez
(B) Rougir
(C) Rousse
(D) rameau
(E) Rat

73. Il a dit à son fils de ranger les timbres dans un __________ .
(A) quête
(B) marteau
(C) bouquet
(D) album
(E) aluminium

74. Dans la forêt, prenez garde aux __________ .
(A) ronces
(B) Renoir
(C) raillerie
(D) rouet
(E) fouet

75. Il pleut à verse. Vous allez être __________ .
(A) maillot
(B) maille
(C) mièvre
(D) mouillé
(E) matin

76. Il fit ses __________ et vit qu'il lui restait trois francs.
(A) Cantal
(B) coiffe
(C) carton
(D) comptes
(E) chavirer

77. Il ne change pas d'avis car il est très ________ .
(A) débout
(B) têtu
(C) termite
(D) tutelle
(E) train

78. ________ de beurre? Je m'en passerai.
(A) Pas
(B) Preuve
(C) Tonnerre
(D) Passé
(E) Presse

79. Pour le comprendre, ________ plus attentivement.
(A) écoutez-le
(B) ragoût
(C) égout
(D) dégouter
(E) sortez-la

80. Pour opérer, le chirurgien met des ________ .
(A) gens
(B) genoux
(C) gêne
(D) genêts
(E) gants.

Questions 81 to 100

DIRECTIONS: Each passage is followed by several questions. For each question, select the word or expression which most satisfactorily answers the question or completes the statement.

On ne sait pas qui avait, tout d'abord, donné l'ordre de marcher sur la Bastille. Dans cette forteresse, qui avait été au moyen âge pour défendre la ville de Paris menacée de siège à l'époque de la guerre de Cent Ans, n'étaient enfermés que quelques prisonniers: mais, pour beaucoup de Français, cette prison représentait la tyrannie.

La Bastille fut prise presque sans résistance. Launay, gouverneur de la Bastille, décida d'ouvrir les portes. La foule pénetra dans la prison, et se précipita pour délivrer les prisonniers qui s'y trouvaient.

La chute de la Bastille produisit en Europe une impression profonde: il semblait qu'avec elle l'ancien régime s'était terminé, et que la liberté venait de naître en France. Peu de temps après, la Bastille fut démolie et les pierres furent employées à construire le pont de la Concorde. Pour rendre hommage à celui par qui était née la liberté américaine, la clef de la Bastille fut envoyée à Georges Washington.

81. <u>délivrer les prisonniers</u>
    (A) les emprisonner
    (B) les mettre en fuite
    (C) les ligoter
    (D) les assassiner
    (E) les libérér

82. <u>la chute de la Bastille</u>
    (A) son entourage
    (B) son effondrement
    (C) sa forteresse
    (D) son commandant
    (E) sa tour

83. Comment expliquez-vous l'importance de la prise de la Bastille?
    (A) à cause du grand nombre de prisonniers qui y étaient
    (B) parce que le gouverneur Launay était aimé du peuple
    (C) elle était surtout d'ordre symbolique
    (D) Elle personnifiait la fidélité su trône
    (E) Elle constituait un danger public

84. Pourquoi envoya-t-on la clef de la Bastille à Georges Washington?
    (A) Il n'y avait pas de serrurier en Amérique
    (B) afin de lui donner une récompense
    (C) en témoignage d'estime
    (D) parce qu'il collectionnait les objets d'art
    (E) pour faire un affront au roi de Prusse

Le roi Saint Louis aimait par-dessus tout la justice. Souvent il allait s'asseoir l'été au bois de Vincennes, au pied d'un chêne. Là venaient librement lui parler ceux qui demandaient justice, surtout les pauvres gens. Quelques-uns, voulant être entendus les premiers, bousculaient un peu les autres, ou bien tous parlaient à la fois. D'un seul mot le bon roi rétablissait l'ordre:

—Taisez-vous! Je vous entendrai l'un après l'autre. Chacun pourra parler à son tour.

Saint Louis écoutait chacun avec la plus grande attention, et le jugement qu'il rendait ensuite était toujours juste.

Le roi pratiquait aussi la charité. Tous les jours cent vingt-deux pauvres recevaient chacun deux pains, un quart de vin, de la viande ou du poisson, et un peu d'argent. A Compiègne, comme il faisait la charité aux pauvres, le roi aperçut un lépreux qui, n'osant pas s'approcher, essayait d'attirer l'attention du monarque. Bien que la lèpre soit une maladie extrêmement contagieuse et redoutable Saint Louis n'hésita pas; il alla au lépreux, lui donna de l'argent, lui prit la main et la lui baisa.

85. bousculaient
    (A) brodaient
    (B) poussaient
    (C) embarquaient
    (D) boudaient
    (E) baguenaudaient

86. Quelles furent les vertus du roi Saint Louis?
    (A) Il était juste, patient et généreux
    (B) Il était imprudent, charitable et volage
    (C) Il était prudent, généreux et distrait
    (D) Il était rusé, charitable et rustre
    (E) Il était loyal, fidèle et médisant.

87. Pourquoi le lépreux n'osait-il pas s'approcher du roi?
    (A) Il craignait d'attirer son attention
    (B) la lèpre est une affliction redoutable
    (C) Il n'avait pas faim
    (D) Il n'était pas pauvre
    (E) Il fuyait la cour

88. Comment pourrait-on caractériser d'un mot le baiser au lépreux?
(A) effroyable
(B) honteux
(C) criminel
(D) chaste
(E) sublime

Dans le Val de Loire, en Normandie, en Bretagne ou en Touraine, on rencontre partout des centaines de splendides châteaux qui s'acheminent, lentement mais sûrement, vers la ruine et l'abandon, Les châtelains d'autrefois ne peuvent plus faire face aux frais d'entretien et aux taxes considérables que leur vaut une telle propriété déclarée. Le prix de vente de ces magnifiques demeures rend la vie de château accessible à tous ceux qui en rêvent et qui sont assurés, voilà l'important, d'un excellent revenu.

Le chateau d'Avray, près d'Orléans, vient d'être, vendu à une société qui a entrepris la remise en état et la transformation des lieux en quarante appartements, de une à quatre pièces, qui seront vendus en co-propriété. Pour un prix d'environ quinze mille dollars, vous aurez le bonheur d'être propriétaire d'un trois ou quatre pièces dans le château d'Avray, mais trente-neuf autres propriétaires partageront ce bonheur avec vous.

89. <u>qui s'acheminent</u>
(A) qui s'enchevêtrent
(B) qui se dirigent
(C) qui vont à cheval
(D) qui sont charmants
(E) qui recherchent

90. Pourquoi les châtelains d'autrefois ne peuvent-ils pas faire face aux frais d'entretien de leurs propriétés?
(A) ils sont trop avares
(B) les impôts sont trop élevés
(C) ils sont dans la misère
(D) ils ont trop d'enfants
(E) ils préfèrent la ville

91. D'après l-auteur de ce paragraphe, la joie d'être co-propriétaire est-elle complète?
    (A) Non, car il faut la partager avec un grand nombre de personnes.
    (B) Si, car on est alors un seigneur féodal
    (C) Elle a ses inconvénients car on doit toujours payer beaucoup d'impôts
    (D) C'est une joie incomparable
    (E) Cela dépend du caractère des autres propriétaires

92. <u>frais d'entretien</u>
    (A) le chauffage en hiver
    (B) la climatisation en été
    (C) le maintien en bon état
    (D) la distribution du courrier
    (E) la course aux armements

La France et les États-Unis viennent de célébrer le deuxième centenaire de la naissance de La Fayette. Nous sommes fidèles à ce souvenir parce que nous en sommes fiers. C'était en 1776 que ce jeune homme de la plus noble famille décida d'aller se battre pour les libertés américaines.

Il n'y a rien de plus généreux, ni de plus touchant, que l'attachement immédiat du jeune volontaire français au chef qu'il trouva là-bas: Georges Washington. Jamais deux hommes ne furent mieux faits pour se comprendre et s'estimer. Washington avait, comme La Fayette, l'âme la plus noble. "Simple soldat, dit de lui La Fayette, il aurait été le plus brave; citoyen obscur, tous ses voisins l'auraient respecté."

Toute sa vie, La Fayette allait demeurer disciple de Washington. Leurs deux coeurs unis demeurent un symbole de l'union de la France et des Etats-Unis, union fondée sur des principes communs et sur des services mutuels. Sans La Fayette et la France, il n'y aurait jamais eu les Etats-Unis; mutuels. Sans La Fayette et la France, il n'y aurait jamais eu les Etats-Unis; sans les Etats-Unis, il n'y aurait peut-être plus aujourd'hui de France libre.

93. centenaire
    (A) centième partie
    (B) sans sens
    (C) cent centimes
    (D) centième anniversaire
    (E) demi-siècle

94. D'après l'auteur, Georges Washington et La Fayette étaient
    (A) des frères de lait
    (B) des ennemis jurés
    (C) des conjurés
    (D) des âmes soeurs
    (E) des charlatants

95. Comment peut-on décrire l'attachement de La Fayette envers Georges Washington?
    (A) il fut réciproque
    (B) il fut atténué
    (C) il ne fut pas mutuel
    (D) il fut inversement proportionnel
    (E) il ne fut pas vivace

96. Quelle est la note dominante que ce passage exalte?
    (A) l'ambition
    (B) la noblesse
    (C) la bassesse
    (D) la fureur
    (E) la curiosité

La coutume de se souhaiter "Bonne Année" est universelle. Les voeux qu'on envoie sont une marque d'amitié et, quand une longue distance nous sépare de ceux à qui on les adresse, une preuve que leur souvenir est toujours présent.

Mais chaque pays a ses propres coutumes et ses traditions scrupuleusement respectées. Dans l'Europe occidentale, elles sont à peu près indentiques: tout le monde reçoit des étrennes le premier janvier. En Italie, en Espagne et au Portugal, cependant, on attend le six janvier pour jouer le Père Noel, et pour donner aux enfants leur tricycle, leur poupée ou leur train électrique.

En Suède, une vieille croyance veut que pour avoir une année heureuse, le premier visiteur qui sonne à votre porte, le Jour de l'An, soit un homme. Si c'est une femme, c'est un mauvais présage. Dans certains villages d'Angleterre, un verre de vin et une brioche sont offerts à celui qui, le premier, entre, le Jour de l'An, dans la maison. C'est que ce premier visiteur symbolise toutes les prospérités.

97. Certaines coutumes sont universelles mais elles diffèrent cependant par:
(A) leurs cadeaux
(B) leur expression tangible
(C) leur don
(D) leur montant
(E) leur pâtisserie

98. les voeux
(A) les maux
(B) les oeufs
(C) les veaux
(D) les souhaits
(E) les boeufs

99. Si vous êtes une femme et que vous habitiez la Suède, devriez-vous rendre visite à vos amis le premier janvier?
(A) oui, certainement, c'est symbole de prospérité
(B) bien sûr, une brioche à la main
(C) volontiers, pour boire un verre de vin
(D) seulement s'ils ne sont pas célibataires
(E) non, car c'est un mauvais présage, croit-on

100. Quelle est la coutume universelle en Europe?
(A) de donner des étrennes
(B) d'étrenner un chapeau le premier janvier
(C) de se trainer dans les magasins
(D) de porter une robe à traine
(E) de s'entrainer à la course

The French Achievement Test (Sample 4)
Is Now Over.
After One Hour, Stop All Work.

ANSWER KEY TO TEST 4

1.	C	26.	A	51.	B	76.	D
2.	A	27.	D	52.	D	77.	B
3.	C	28.	B	53.	A	78.	A
4.	E	29.	E	54.	D	79.	A
5.	D	30.	E	55.	B	80.	E
6.	E	31.	A	56.	A	81.	E
7.	B	32.	B	57.	C	82.	B
8.	D	33.	B	58.	B	83.	C
9.	E	34.	C	59.	E	84.	C
10.	D	35.	A	60.	B	85.	B
11.	B	36.	D	61.	A	86.	A
12.	C	37.	A	62.	C	87.	B
13.	A	38.	D	63.	C	88.	E
14.	B	39.	B	64.	E	89.	B
15.	B	40.	E	65.	E	90.	B
16.	A	41.	E	66.	A	91.	A
17.	C	42.	B	67.	B	92.	C
18.	E	43.	C	68.	C	93.	D
19.	B	44.	B	69.	E	94.	D
20.	E	45.	B	70.	E	95.	A
21.	A	46.	A	71.	D	96.	B
22.	E	47.	B	72.	A	97.	B
23.	E	48.	A	73.	D	98.	D
24.	C	49.	A	74.	A	99.	E
25.	B	50.	B	75.	D	100.	A

ANSWER SHEET TEST 5

1 A B C D E	26 A B C D E	51 A B C D E	76 A B C D E
2 A B C D E	27 A B C D E	52 A B C D E	77 A B C D E
3 A B C D E	28 A B C D E	53 A B C D E	78 A B C D E
4 A B C D E	29 A B C D E	54 A B C D E	79 A B C D E
5 A B C D E	30 A B C D E	55 A B C D E	80 A B C D E
6 A B C D E	31 A B C D E	56 A B C D E	81 A B C D E
7 A B C D E	32 A B C D E	57 A B C D E	82 A B C D E
8 A B C D E	33 A B C D E	58 A B C D E	83 A B C D E
9 A B C D E	34 A B C D E	59 A B C D E	84 A B C D E
10 A B C D E	35 A B C D E	60 A B C D E	85 A B C D E
11 A B C D E	36 A B C D E	61 A B C D E	86 A B C D E
12 A B C D E	37 A B C D E	62 A B C D E	87 A B C D E
13 A B C D E	38 A B C D E	63 A B C D E	88 A B C D E
14 A B C D E	39 A B C D E	64 A B C D E	89 A B C D E
15 A B C D E	40 A B C D E	65 A B C D E	90 A B C D E
16 A B C D E	41 A B C D E	66 A B C D E	91 A B C D E
17 A B C D E	42 A B C D E	67 A B C D E	92 A B C D E
18 A B C D E	43 A B C D E	68 A B C D E	93 A B C D E
19 A B C D E	44 A B C D E	69 A B C D E	94 A B C D E
20 A B C D E	45 A B C D E	70 A B C D E	95 A B C D E
21 A B C D E	46 A B C D E	71 A B C D E	96 A B C D E
22 A B C D E	47 A B C D E	72 A B C D E	97 A B C D E
23 A B C D E	48 A B C D E	73 A B C D E	98 A B C D E
24 A B C D E	49 A B C D E	74 A B C D E	99 A B C D E
25 A B C D E	50 A B C D E	75 A B C D E	100 A B C D E

French Achievement Test

Sample 5

Time: one hour

Questions 1 to 20

DIRECTIONS: Each question consists of a sentence, part of which is underlined. From the five choices, select the one which, gramatically, could not *properly replace the underlined word or words in the sentence.*

1. Les trois coups qu'on entend <u>au theâtre signifient que la pièce va commencer</u>
   (A) me font penser à la Comédie Française
   (B) Jean a frémi
   (C) nous rappellent qu'il faut se taire
   (D) sont un signal qu'il convient de respecter
   (E) me font trembler de joie et d'anticipation

2. En France c'est la ménagère <u>qui tient les cordons de la bourse</u>
   (A) que je vois chez le boucher
   (B) qui va aux provisions
   (C) que je sache nager
   (D) à la taille accorte qui mène son monde tambour battant
   (E) qui bat son beurre

3. La jeune fille <u>à l'oeillet rouge</u> s'appelle Carmen.
   (A) dont voici la mère
   (B) aux yeux noirs
   (C) qui se tourne vers nous
   (D) que j'adore
   (E) qui j'adore

4. Ces messieurs jouent à la belotte en sirotant un verre de vin blanc.
   (A) et buvait du vin
   (B) sans songer au lendemain
   (C) avant de casser la croûte
   (D) à quatre
   (E) en se racontant des blagues

5. Quel repas délicieux! Dites-le à mon cordon bleu!
   (A) Merci pour
   (B) Ah, non, par exemple!
   (C) Je le dirai à
   (D) Les compliments reviennent à
   (E) C'est ma femme qui est

6. Nos amis, qui sont partis hier, nous manquent beaucoup.
   (A) Les Leblanc
   (B) que je connais depuis longtemps
   (C) sans savoir l'heure
   (D) de la rue des Rosiers
   (E) les plus chers

7. Ta fille ne fait rien d'autre que lire des romans.
   (A) avait lu des romans
   (B) toute la journée
   (C) parce qu'elle est paresseuse
   (D) sans proclamer qu'elle aime la liberté
   (E) le dimanche

8. Nous avons prié Jean de rester à diner, mais il a refusé.
   (A) à la fortune du pot
   (B) avec nous
   (C) il s'est privé
   (D) pour pouvoir lui parler de cette affaire
   (E) sans penser à son rendez-vous

9. Les hommes <u>que je connais</u> aiment tous le sport.
   (A) qui je connais
   (B) vous le savez bien
   (C) qui viennent du nord
   (D) blonds aux yeux bleus
   (E) vigoureux

10. Le médecin venait de sortir et la malade <u>fut obligée de l'attendre.</u>
   (A) se prépara à l'attendre
   (B) il était fatigué
   (C) n'était pas encore arrivée à l'hôpital
   (D) avait des palpitations du coeur
   (E) fit appeler l'infirmière de service

11. Lorsqu'il entendit que Jean avait été élu, <u>il en resta bouche bée.</u>
   (A) il lui fit envoyer une douzaine de roses
   (B) il alla féliciter sa mère
   (C) il enverra un télégramme
   (D) son visage se dérida
   (E) la joie l'envahit

12. Georges a toujours su <u>se tirer d'affaire.</u>
   (A) de quoi il retournait
   (B) bien mener sa barque
   (C) qu'il allait épouser Simone
   (D) qu'elle avait de l'argent
   (E) il partira à Nice

13. En décembre il faisait si froid <u>qu'elle claquait des dents</u>
   (A) qu'Henri fit un feu de bois dans la cheminée
   (B) que j'irai à la plage tous les jours
   (C) et pourtant la rivière n'avait pas gelé
   (D) que nous allions patiner sur glace
   (E) que nous pensions en mourir

14. Marie faisait la navette entre Paris et Pontoise.
    (A) allait à la pêche
    (B) cherchera un logement
    (C) que Pierre avait rencontrée
    (D) ils hésitaient
    (E) avait une résidence d'été

15. Gontran a refusé d'épouser la soeur de Ludovic.
    (A) l'invitation au bal
    (B) d'épouser Bélise
    (C) d'aller en Suède
    (D) à parler turc
    (E) la légion d'honneur

16. L'homme devrait aimer son semblable mais en fait, il le déteste souvent.
    (A) car cela simplifierait la vie de société
    (B) car elle l'adore
    (C) pour obéir aux préceptes antiques
    (D) pour ne pas lui causer de tort
    (E) ou au moins ne pas le haïr

17. La pelote basque n'est pas le sport favori des Américains.
    (A) demande beaucoup d'habileté
    (B) se joue surtout dans la France du Sud-Ouest
    (C) voulez-vous du thé
    (D) attire beaucoup de spectateurs
    (E) a ses champions

18. Et comme dessert? Une bombe glacée, je vous prie.
    (A) Rien, merci.
    (B) à la pêche
    (C) une pêche
    (D) une compote aux prunes
    (E) un flan et du café.

19. Pour son anniversaire, elle a reçu un vase de crystal.
    (A) on lui offrit un voyage autour du monde
    (B) ses parents l'envoyèrent aux sports d'hiver
    (C) il aurait été la voir s'il avait su son adresse
    (D) donnez-lui du parfum
    (E) je ne connais pas l'auteur

20. Pouvez-vous me citer le nom de la première épopée française?
    (A) de votre sonate préfére?
    (B) du chemin de fer souterrain?
    (C) d'une tragédie romaine?
    (D) qu'il s'appelle
    (E) de l'héroine qui a inspiré le poète?

Questions 21 to 40

DIRECTIONS: Each sentence or brief paragraph contains blank spaces. Under each blank space, there are five choices. Select the choice which fits in correctly with the context of the sentence or paragraph.

Tous ces pauvres ________ sont assis autour du ________

21. (A) vieilles
    (B) vieillards
    (C) veille
    (D) veilles
    (E) veillées

22. (A) feu
    (B) feuille
    (C) fournaise
    (D) férule
    (E) fraise

et ________ en parlant du temps ________

23. (A) battent
    (B) boitent
    (C) se chauffent
    (D) dansent
    (E) branlent

24. (A) jadis
    (B) jade
    (C) jeu
    (D) jeune
    (E) jauge

Il partit à une heure, après avoir ________ sur le pouce

25. (A) déjeuné
    (B) jeûné
    (C) dégeler
    (D) dégainé
    (E) donner

de pain et de ________ ; sa mère ________ avait bien

26. (A) chêne
    (B) hêtre
    (C) glands
    (D) saucisson
    (E) son

27. (A) l'
    (B) à lui
    (C) lui
    (D) luit
    (E) les

recommandé de ne pas s' ________ auprès de Madame Blin.

28. (A) attendre
    (B) attarder
    (C) tarder
    (D) dépêcher
    (E) ralentir

Elle ________ les tableaux avec beaucoup d' ________

29. (A) regarda
    (B) regard
    (C) garda
    (D) gardes
    (E) gronda

30. (A) soin
    (B) tact
    (C) attention
    (D) attitudes
    (E) regret

car elle avait ________ d'en acheter un de maître pour

31. (A) décidera
    (B) voulue
    (C) voulus
    (D) décidé
    (E) décidée

la __________ de son époux.

32. (A) fin
    (B) fine
    (C) fureur
    (D) ferveur
    (E) fête

On parle __________ à l'heure du thé, de ces bijoux __________

33. (A) jamais
    (B) foison
    (C) autrefois
    (D) fois
    (E) quelquefois

34. (A) fats
    (B) phare
    (C) fatals
    (D) fols
    (E) fêlés

qui ont provoqué la __________ , dans des circonstances bien

35. (A) décès
    (B) mort
    (C) mer
    (D) marée
    (E) mur

__________ , de deux explorateurs britanniques.

36. (A) mystiques
    (B) mystères
    (C) mystérieuses
    (D) mercenaires
    (E) meurtris

De jeune __________ cherche un appartement à __________

37. (A) couple
    (B) femme
    (C) toupie
    (D) personne
    (E) chat

38. (A) loué
    (B) louée
    (C) loués
    (D) louer
    (E) lot

dans une localité de la banlieue __________ qui ne soit

39. (A) africain
    (B) parisien
    (C) tunisien
    (D) marocains
    (E) parisienne

__________ éloignée du centre des affaires.

40. (A) très
    (B) gare
    (C) naguère
    (D) guerre
    (E) guère

Questions 41 to 60

DIRECTIONS: In each question, a situation is presented. Select from the five choices that follow, the choice which is the most appropriate response to the situation given.

41. Le médecin dit à son malade de se lever et de faire quelques pas; Ce dernier répond:
    (A) Je vais essayer, docteur.
    (B) Vous avez la berlue, inspecteur.
    (C) rien à déclarer.
    (D) Vive l'Amérique
    (E) Ne vous mettez pas martel en tête! cher Maître.

42. Monsieur Leblanc est dur d'oreille mais ne veut pas l'avouer à ces amis. Cependant ils l'on remarqué car il leur dit sans cesse:
    (A) Taisez-vous.
    (B) A d'autres.
    (C) C'est impossible.
    (D) Plus fort
    (E) Vous faites du bruit.

43. L'été les fleurs sentent bien bon et parfument le jardin. Jeanne n'en sait rien car elle vient d'avoir:
    (A) une migraine
    (B) un rhume
    (C) une rage de dents
    (D) la colique
    (E) un cor

44. Lucien annonce à Toto qu'il va aller visiter la capitale. L'enfant lui demande:
    (A) tu iras à Marseille?
    (B) tu visiteras Manchester?
    (C) c'est à Rome que tu seras?
    (D) tu passeras par Lyon?
    (E) tu verras Milan?

45. Il téléphone à la gare pour savoir l'heure du départ pour Toulouse. L'employée répond:
    (A) jamais le dimanche
    (B) prenez le plat du jour
    (C) je vais vous mettre à la porte
    (D) allez plutôt à Marseille
    (E) à dix-neuf heures, monsieur.

46. Pierre vient de gagner le gros lot. Ses amis disent de lui:
    (A) quel veinard!
    (B) pauvre type!
    (C) Quel imbécile!
    (D) quelle plaisanterie!
    (E) que c'est triste!

47. Chaque fois que Suzanne rend visite à la comtesse, on lui répond que Madame ne reçoit pas. Doit-elle penser que:
    (A) la comtesse est en voyage
    (B) la comtesse se marie
    (C) la comtesse ne désire pas la voir
    (D) la comtesse est célibataire
    (E) le comte est avare

48. Laure attend une lettre qui n'arrive pas. Tous les jours, le facteur lui dit:
(A) un paquet pour vous
(B) rien pour vous
(C) un pneumatique
(D) votre amie pense à vous
(E) on vous appelle au téléphone

49. Elle vient d'entendre que son amie a subi une grosse perte. Elle lui écrit: Chère amie,
(A) je suis ravie d'entendre que . . .
(B) C'est avec plaisir que . . .
(C) je suis navrée d'entendre que . . .
(D) je vous félicite
(E) c'est charmant

50. Dans le temps, dit Jules à son fils, quand on voulait inviter une jeune fille à danser, on disait:
(A) Amenez-vous ici!
(B) Plantez-vous donc ici!
(C) Puis-je avoir le plaisir?
(D) Eh, la petite
(E) C'est vous, la Clémentine du père Mathurin?

51. Le patron veut dicter son courrier. Sa secrétaire lui demande d'attendre un moment car elle ne trouve pas
(A) son notaire
(B) son bloc-note
(C) son locataire
(D) sa caille
(E) sa crête

52. La mère de Julie vient de faire sa lessive; elle dit à sa fille:
(A) aide-moi à étendre le linge
(B) sors le pain du four
(C) ne fais pas la sotte
(D) huile donc la porte
(E) fais la mayonnaise

53. Durand n'a pas de place dans son armoire pour ranger son complet brun: il va le mettre:
 (A) au bleu
 (B) dans son placard
 (C) en plaques
 (D) à friser
 (E) à la glacière

54. Vous arrivez à la gare une minute après le départ de votre train: vous dites à l'employé.
 (A) Bravo, toujours à l'heure
 (B) Vous méritez d'être décoré
 (C) Tant mieux, ça lui apprendra à être à l'heure
 (D) Mes compliments au chef de gare
 (E) Zut, je l'ai encore raté

55. Elle se morfondait à une conférence sur le vase de Soissons. Elle pensait:
 (A) j'aurais mieux fait d'aller au cinéma
 (B) l'instruction, quelle belle chose et si utile
 (C) Moi, j'ai toujours aimé la verrerie
 (D) J'adore les danseuses en tutu
 (E) Comme c'est intéressant

56. Le logement du quatrième est si délabré que la locataire va:
 (A) féliciter le propriétaire
 (B) demander à être augmentée
 (C) faire une réclamation
 (D) en parler à la Société des Chemins de Fer
 (E) changer de nom

57. Elle a fait l'aumône à un pauvre homme en haillons. Il lui dit:
 (A) C'est de la petite bière
 (B) Le bon Dieu vous le rendra
 (C) Une de perdue, dix de retrouvées
 (D) Ne vous perdez pas
 (E) Le premier tournant à gauche

58. L'odeur qui vient de la cuisine m'aiguise l'appétit:
   (A) je ne peux rien manger
   (B) j'en ai mal au coeur
   (C) j'ai la chair de poule
   (D) je commence à avoir encore plus faim
   (E) j'ai soif

59. La bonne apporte le plat mais sa patronne la regarde et lui fait un petit signe. Que fait Marie?
   (A) Marie retourne à la cuisine et met son tablier
   (B) elle appelle sa cousine et lui dit de l'oublier
   (C) elle aiguise le couteau de cuisine et se signe
   (D) Elle coud du duvet de cygne
   (E) Elle écrit une lettre et la signe

60. Jeanne s'est égarée. Elle dit au passant:
   (A) j'ai des cigarettes
   (B) je veux garer ma voiture
   (C) j'ai perdu mon chemin
   (D) j'ai perdu la tête
   (E) Dieu vous garde

Questions 61 to 80

DIRECTIONS: Choose the word or phrase that fits best into the blank space in each sentence.

61. __________ les difficultés, les hommes ne partiront pas.
   (A) Selon
   (B) Grâce
   (C) Voyant
   (D) Vu
   (E) Saignant

62. Elle portait une robe bleu __________ .
   (A) défoncé
   (B) foncé
   (C) affronté
   (D) effrontément
   (E) effleuré

63. Il est sourd d'une ________ .
   (A) oreillette
   (B) oreillon
   (C) horaire
   (D) horreur
   (E) oreille

64. Comme cette rose sent ________ .
   (A) bon
   (B) bonbon
   (C) bonbonne
   (D) bonbonnière
   (E) babouin

65. Pour accrocher le tableau au mur, il me faudrait un ______.
   (A) cadeau
   (B) coton
   (C) canon
   (D) clou
   (E) croix

66. S'il avait eu le temps, il serait ________ .
   (A) venu
   (B) devenu
   (C) revenue
   (D) convenu
   (E) souvenu

67. Je n'ai pas fini mon déjeuner. Je vais avoir ________ .
   (A) fin
   (B) refrain
   (C) faim
   (D) afin
   (E) enfin

68. Cette robe a coûté cent francs. Que c'est ________ !
   (A) chair
   (B) chaire
   (C) chaise
   (D) achat
   (E) cher

69. Elle est arrivée en retard et toutes les places étaient ______.
(A) prises
(B) apprises
(C) reprises
(D) reprisées
(E) grises

70. Il fait trop chaud dans cette pièce. Ouvrons la ______.
(A) buffet
(B) fenêtre
(C) fortune
(D) armoire
(E) fuite

71. Il est parti à minuit et nous ne l'avons plus ______.
(A) revu
(B) rôti
(C) rattaché
(D) routier
(E) rousse

72. Il m'a demandé de lui ______ à ce quoi je pensais.
(A) deviner
(B) dire
(C) douter
(D) dette
(E) panorama

73. Voici le propriétaire de la ______ de campagne.
(A) pâté
(B) personne
(C) loterie
(D) maison
(E) métier

74. La conférencière a présenté le ______ aux électeurs.
(A) canon
(B) champ
(C) candidat
(D) serviette
(E) salut

75. Marie voulait ________ mais nous lui avons demandé de rester.
(A) prunier
(B) partir
(C) panier
(D) appartement
(E) broder

76. Voici les champs de ________ que je vous ai montrés hier.
(A) blé
(B) bérets
(C) brune
(D) service
(E) salaire

77. La lutte a été ________ par Jules César.
(A) doublées
(B) devoir
(C) décrite
(D) d'abord
(E) devant

78. Après un mois d'absence, il lui ________ de revoir son fils.
(A) tumulte
(B) tension
(C) train
(D) traînait
(E) tardait

79. Pour les demandes d'emploi, adressez-vous au ________ .
(A) direction
(B) directeur
(C) Directoire
(D) drain
(E) d'art

80. Oui, les hommes ________ le sport.
    (A) aiment
    (B) amant
    (C) dément
    (D) dames
    (E) dorment

Questions 81 to 100

DIRECTIONS: Each passage is followed by several questions. For each question, select the word or expression which most satisfactorily answers the question or completes the statement.

L'immense personnalité de Victor Hugo, né le 26 février 1802 et mort le 22 mai 1885, a rempli tout le dix-neuvième siècle en France. Surtout, il a écrit un des plus grands livres de son temps, *Les Misérables*. Dans ce roman historique, Victor Hugo décrit quelques-unes des pages les plus émouvantes de l'histoire de France: la bataille de Waterloo, et les scènes de la révolution de 1830 à Paris. Mais ce sont trois personnages importants du roman —Jean Valjean, Fantine et Cosette—qui nous touchent le plus. Hugo a voulu nous émouvoir par le récit des souffrances physiques et morales de ces trois héros.

Victor Hugo avait toujours aimé les pauvres, les humbles et les opprimés. Il avait lui-même vu et connu la misère du peuple. Vrai républicain, il avait voulu attirer l'attention sur ceux qui souffrent: il avait voulu les aider et surtout les relever. Il avait compris que la véritable démocratie ne peut pas exister lorsqu'un grand nombre de citoyens vivent sous la misère. Aussi a-t-il poussé son cri de pitié qui a été entendu à travers l'Europe entière.

81. <u>émouvantes</u>
    (A) qui remuent la tête
    (B) qui bougent les bras
    (C) qui blessent les yeux
    (D) qui touchent le coeur
    (E) qui remplissent les oreilles

82. D'après ce passage, quel a été le but principal de Victor Hugo, auteur des Misérables?
    (A) décrire la Révolution française
    (B) faire l'apologie de Napoléon
    (C) décrire les raisons de la défaite de Napoléon
    (D) nous faire partager les souffrances des trois héros du roman
    (E) nous divertir

83. Quelle était l'intention de Victor Hugo?
    (A) décrire la misère pour effrayer le lecteurs?
    (B) dépeindre les humbles pour les aider à remonter le courant?
    (C) dépeindre les humbles pour les tourner en ridicule?
    (D) brosser de grandes fresques pour augmenter le tirage de ses oeuvres?
    (E) glorifier l'oeuvre créateur?

84. L'oeuvre de Victor Hugo a-t-elle eu un rayonnement uniquement national?
    (A) Elle a été lue en France
    (B) Ce n'est qu'en Afrique qu'elle a été vraiment comprise
    (C) Elle a éveillé un écho puissant à travers toute l'Europe
    (D) Son intérêt était d'ordre trop limité pour plaire à l'Europe entière
    (E) Elle a uniquement fait vibrer les coeurs des Français

85. La misère
    (A) l'avarice
    (B) la mesure
    (C) la démesure
    (D) la masure
    (E) la souffrance

Dès la fin de novembre, nous avions l'habitude, mon amie Lucette et moi d'attacher au mur de notre chambre la liste des choses que nous désirions. Dans nos deux familles, tout le monde nous préparait des surprises, et le mystère qui entourait ces cadeux etait mon grand amusement des derniers jours de l'année. Entre parents, grand'mères et tantes, commençaient, pour exciter davantage ma curiosité, de continuelles conversations à voix basse qu'on faisait semblant d'arrêter dès que je paraissais......

Cela continuait jusqu'au grand soir du trente et un décembre. Ce soir-là, les cadeaux des deux familles, enveloppés de papiers gais, étaient assemblés sur des tables, dans une salle dont l'entrée nous avait été défendue depuis la veille. A huit heures on ouvrait les portes et tout le monde entrait en procession, les grand'mères les premières, chacun venant chercher sa part dans tous ces paquets. Pour moi, entrer là était un moment de telle joie que, jusqu'à douze ou treize ans, je n'ai jamais pu m'empêcher de sauter en l'air avant de passer par la porte.

86. davantage
 (A) un avantage
 (B) plus
 (C) moins
 (D) devant
 (E) en arrière

87. sauter en l'air
 (A) prendre l'avion
 (B) faire un bond
 (C) ouvrir un parachute
 (D) être sot
 (E) jouer un air de valse

88. on faisait semblant
 (A) on restait ensemble
 (B) on donnait l'impression
 (C) on jouait de la musique
 (D) on se trompait
 (E) on dormait

89. D'après ce passage, quelle impression d'ensemble se dégage-t-elle?
 (A) Il s'agit de familles modestes
 (B) Les familles sont très pauvres
 (C) Les enfants étaient orphelins
 (D) Les familles étaient aisées
 (E) Lucette est la soeur aînée

90. En quelle saison se passent les événements décrits?
(A) à Pâques
(B) à la Pentecôte
(C) à la Saint-Jean
(D) en hiver
(E) en été

J'étais heureux, j'étais très heureux. Pourtant, j'enviais un autre enfant. Il se nommait Alphonse. Je ne lui connaissais pas d'autre nom. Sa mère était bien pauvre et travaillait en ville. Alphonse passait toute la journée dans la cour ou sur le trottoir, et j'observais de ma fenêtre son visage sale, ses cheveux jaunes, ses vêtements misérables. J'aurais bien voulu, moi aussi, marcher en liberté dans la rue.

Il n'avait pas comme moi des fables de La Fontaine à apprendre; il ne craignait pas d'être grondé pour une tache à sa blouse, lui! Il n'était pas obligé de dire *bonjour, monsieur! bonjour, madame!* à des personnes qui ne l'intéressaient pas du tout; et, s'il n'avait pas comme moi des jouets de luxe. Il jouait comme il voulait avec les oiseaux qu'il attrapait et avec les chiens vagabonds comme lui. Il était libre et courageux. De la rue, son domaine, il me regardait à ma fenêtre comme on regarde un oiseau en cage.

Un jour il se trouva que la porte de l'appartement était ouverte. Je descendis dans la rue.

—Me voilà, dis-je à Alphonse.

91. Pourquoi le narrateur enviait-il Alphonse?
(A) parcequ'il était sale
(B) il avait de beaux cheveux blonds
(C) Sa mère occupait un poste important
(D) Alphonse vivait à sa guise
(E) il avait des oiseaux

92. L'impression générale de ce morceau est que le petit narrateur menait une vie:
(A) réglée et confortable
(B) de bohémien
(C) d'esclave
(D) de forçat
(E) maussade

93. <u>être grondé</u>
    (A) se mettre en boule
    (B) recevoir des compliments
    (C) se faire punir
    (D) passer en jugement
    (E) se marier

94. Le narrateur avait-il l'air d'avoir beaucoup d'amis?
    (A) Non, il paraissait être entouré de grandes personnes
    (B) Il jouait avec beaucoup d'enfants
    (C) il se battait avec ses camarades
    (D) il préférait les livres aux gens
    (E) il n'aimait que sa mère

95. De quelle occasion le narrateur profite-t-il un jour?
    (A) de ce que sa tante était sortie
    (B) du départ du jardinier
    (C) de l'absence de la bonne
    (D) de la présence d'un fournisseur
    (E) de ce qu'on avait oublié de fermer la porte

"C'est avec une grande joie et des émotions inexprimables que nous annonçons au Président des États-Unis et aux membres du C.S.I. (Comité Secret Interplanétaire) que des êtres vivants existent dans la Lune. Ces habitants, vus à une distance de trois mille pieds, semblent avoir de nombreux points communs avec les hommes. Nous continuons notre observation. Un rapport détaillé suivra le plus tôt possible."

Après avoir dicté cette effrayante nouvelle sans reprendre son souffle, Weston, le chef de la première expédition américaine dans la Lune, ferma avec soin son costume bizarre, et sortit du batiment spécial où une atmosphère artificielle permettait aux opérateurs radio de travailler à l'aise.

96. <u>inexprimables</u>
    (A) qu'on n'ose avouer
    (B) qu'il faut garder secrètes
    (C) qu'on ne peut traduire en paroles
    (D) des fruits secs
    (E) des primes

97. reprendre son souffle
    (A) siffler
    (B) soulever
    (C) respirer
    (D) expirer
    (E) expier

98. Comment Weston parvenait-il à vivre sur la lune?
    (A) grâce à un comité interplanétaire
    (B) par le truchement des Nations Unies
    (C) on lui avait crée une ambiance terrestre
    (D) Les luniens l'avaient adopté
    (E) Il avait été naturalisé lunien

99. Avec qui Weston se met-il en rapport?
    (A) Avec le chef du gouvernement lunien
    (B) avec un comité d'action interstellaire
    (C) avec le chef du gouvernement américain
    (D) avec les martiens
    (E) avec un radiologiste

100. Ce passage semble-t-il tiré:
    (A) d'un reportage scientifique?
    (B) d'un roman science-fiction?
    (C) d'un paysage lunaire?
    (D) d'un conte pour enfants?
    (E) d'une légende épique?

The French Achievement Test (Sample 5) Is Now Over.

After One Hour, Stop All Work.

ANSWER KEY TO TEST 5

1.	B	26.	D	51.	B	76.	A
2.	C	27.	C	52.	A	77.	C
3.	E	28.	B	53.	B	78.	E
4.	A	29.	A	54.	E	79.	B
5.	B	30.	C	55.	A	80.	A
6.	C	31.	D	56.	C	81.	D
7.	A	32.	E	57.	B	82.	D
8.	C	33.	E	58.	D	83.	B
9.	A	34.	C	59.	A	84.	C
10.	B	35.	B	60.	C	85.	E
11.	C	36.	C	61.	D	86.	B
12.	E	37.	A	62.	B	87.	B
13.	B	38.	D	63.	E	88.	B
14.	D	39.	E	64.	A	89.	D
15.	D	40.	E	65.	D	90.	D
16.	B	41.	A	66.	A	91.	D
17.	C	42.	D	67.	C	92.	A
18.	B	43.	B	68.	E	93.	C
19.	E	44.	C	69.	A	94.	A
20.	D	45.	E	70.	B	95.	E
21.	B	46.	A	71.	A	96.	C
22.	A	47.	C	72.	B	97.	C
23.	C	48.	B	73.	D	98.	C
24.	A	49.	C	74.	C	99.	C
25.	A	50.	C	75.	B	100.	B

ANSWER SHEET TEST 6

1	A	B	C	D	E	26	A	B	C	D	E	51	A	B	C	D	E	76	A	B	C	D	E
2	A	B	C	D	E	27	A	B	C	D	E	52	A	B	C	D	E	77	A	B	C	D	E
3	A	B	C	D	E	28	A	B	C	D	E	53	A	B	C	D	E	78	A	B	C	D	E
4	A	B	C	D	E	29	A	B	C	D	E	54	A	B	C	D	E	79	A	B	C	D	E
5	A	B	C	D	E	30	A	B	C	D	E	55	A	B	C	D	E	80	A	B	C	D	E
6	A	B	C	D	E	31	A	B	C	D	E	56	A	B	C	D	E	81	A	B	C	D	E
7	A	B	C	D	E	32	A	B	C	D	E	57	A	B	C	D	E	82	A	B	C	D	E
8	A	B	C	D	E	33	A	B	C	D	E	58	A	B	C	D	E	83	A	B	C	D	E
9	A	B	C	D	E	34	A	B	C	D	E	59	A	B	C	D	E	84	A	B	C	D	E
10	A	B	C	D	E	35	A	B	C	D	E	60	A	B	C	D	E	85	A	B	C	D	E
11	A	B	C	D	E	36	A	B	C	D	E	61	A	B	C	D	E	86	A	B	C	D	E
12	A	B	C	D	E	37	A	B	C	D	E	62	A	B	C	D	E	87	A	B	C	D	E
13	A	B	C	D	E	38	A	B	C	D	E	63	A	B	C	D	E	88	A	B	C	D	E
14	A	B	C	D	E	39	A	B	C	D	E	64	A	B	C	D	E	89	A	B	C	D	E
15	A	B	C	D	E	40	A	B	C	D	E	65	A	B	C	D	E	90	A	B	C	D	E
16	A	B	C	D	E	41	A	B	C	D	E	66	A	B	C	D	E	91	A	B	C	D	E
17	A	B	C	D	E	42	A	B	C	D	E	67	A	B	C	D	E	92	A	B	C	D	E
18	A	B	C	D	E	43	A	B	C	D	E	68	A	B	C	D	E	93	A	B	C	D	E
19	A	B	C	D	E	44	A	B	C	D	E	69	A	B	C	D	E	94	A	B	C	D	E
20	A	B	C	D	E	45	A	B	C	D	E	70	A	B	C	D	E	95	A	B	C	D	E
21	A	B	C	D	E	46	A	B	C	D	E	71	A	B	C	D	E	96	A	B	C	D	E
22	A	B	C	D	E	47	A	B	C	D	E	72	A	B	C	D	E	97	A	B	C	D	E
23	A	B	C	D	E	48	A	B	C	D	E	73	A	B	C	D	E	98	A	B	C	D	E
24	A	B	C	D	E	49	A	B	C	D	E	74	A	B	C	D	E	99	A	B	C	D	E
25	A	B	C	D	E	50	A	B	C	D	E	75	A	B	C	D	E	100	A	B	C	D	E

French Achievement Test

Sample

Time: one hour

Questions 1 to 20

DIRECTIONS: Each question consists of a sentence, part of which is underlined. From the five choices, select the one which, gramatically, could not *properly replace the underlined word or words in the sentence.*

1. Avant d'allumer la lampe, tirez donc les rideaux.
   (A) Si vous voulez de l'ombre
   (B) Pour ne pas être gêné par le soleil
   (C) Soyez gentil
   (D) A l'heure du dîner
   (E) Pour mettre le moteur en marche

2. Il a cueilli des cerises dans son verger.
   (A) Que je sache
   (B) Il y a des pommes
   (C) Nous irons passer la journée
   (D) Vous voulez déjeuner
   (E) Il passerait volontiers l'été

3. La lessive étant faite, il fallut aller l'étendre dans la cour.
   (A) Jeanne s'assit pour se reposer
   (B) je me mis à fumer
   (C) on peut aller se promener
   (D) la bonne se prépara à rentrer à la maison
   (E) il faudra la faire

4. Regardez les étoiles qui scintillent dans le beau ciel.
   (A) qu'aux champs
   (B) que je vois briller
   (C) qui brillent
   (D) car elles sont belles
   (E) de la scène de Paris

5. La maman beurrait les tartines avant de les donner aux enfants.
   (A) il faut beurrer les toasts
   (B) Revoyez les livres
   (C) Après les avoir donnés
   (D) Je veux vous voir
   (E) Allons à la maison

6. Les chiens du voisinage ont aboyé toute la nuit.
   (A) la chienne de Jean
   (B) courent à travers les champs
   (C) sont très dangereux
   (D) sont très nombreux
   (E) s'appellent tous Médor ou Finette

7. Ecoutez les oiseaux gazouiller sur les branches.
   (A) gazouillés
   (B) qui gazouillent sur l'herbe
   (C) de la prairie
   (D) à l'aube dans la campagne
   (E) qui vous réjouissent le coeur

8. Si tu as mal à la tête, prends de l'aspirine.
   (A) prends ton chapeau
   (B) n'oublie pas de te reposer
   (C) allez chez le pharmacien
   (D) cela ne passera pas tout seul
   (E) je te plains

9. Elle a encore oublié son livre sur la table.
   (A) de signer son nom
   (B) que je m'appelle Dupont
   (C) qui je suis
   (D) de se dépêcher
   (E) coupé-je du pain?

10. Ne les voulez-vous pas? La veste et le pantalon sont neufs.
    (A) vous vont bien pourtant
    (B) sont rapiécées
    (C) ont été coupés sur mesure
    (D) vous attendent
    (E) se portent toujours.

11. Après ce voyage, la petite était à demi morte de fatigue.
    (A) vraiment heureuse de te revoir
    (B) à Pontoise, attendant sa mère
    (C) prête à pleurer
    (D) à une heure et demie
    (E) en train de se reposer

12. J'admire ce bel arbre qui pousse dans votre jardin.
    (A) Je ne crois pas que cet arbre
    (B) Dans dix ans cette plante
    (C) La belle rose
    (D) Voilà la plante qui
    (E) Hélas, rien ne

13. Voici Pierre, le garçon dont je vous ai parlé.
    (A) de qui vous vous souvenez
    (B) à qui je vous ai recommandé
    (C) à laquelle je me fie
    (D) aux yeux noirs, que j'aime bien
    (E) dont la mère est absente

14. Dites-moi donc où vous habitez.
    (A) qu'elle n'est pas partie
    (B) si vous voulez la revoir
    (C) ne rien dire
    (D) qui vous êtes, petite inconnue
    (E) à qui j'ai l'honneur de parler

15. De tous vos arguments, aucun ne me convient.
    (A) aucune ne me plaît
    (B) il n'y en a guère de valable
    (C) le dernier est le plus juste
    (D) il est impossible d'en choisir un
    (E) je retiens le dernier

16. Toutes ses filles sont jolies mais nulle ne surpasse l'aînée.
 (A) et la plus belle est Marie
 (B) et ce père a de la chance
 (C) mais aucune ne ressemble à la mère
 (D) et la cadette est adorable
 (E) mais nul ne s'appelle Claude

17. J'ai sonné trois fois mais personne n'a répondu.
 (A) à la porte d'entrée
 (B) pour être sûr de me faire entendre
 (C) à la personne convenue
 (D) mardi dernier
 (E) et enfin, elle l'a ouverte

18. Le clocher du village se voit de loin.
 (A) voit de loin
 (B) se profile au loin
 (C) est très ancien
 (D) date du roi Louis Philippe
 (E) tombe en ruine

19. Il lui est arrivé un grand malheur.
 (A) Il est
 (B) Elle est
 (C) Hier il est
 (D) Malheureusement il est
 (E) Pauvre Jean, Il lui est

20. Si j'avais été riche, j'aurais fait le tour de France.
 (A) ma fille serait allée vous voir
 (B) j'achèterais une auto
 (C) il aurait voulu faire ma connaissance
 (D) j'aurais fait des heureux
 (E) nous aurions visité le monde

Questions 21 to 40

DIRECTIONS: Each sentence or brief paragraph contains blank spaces. Under each blank space, there are five choices. Select the choice which fits in correctly with the context of the sentence or paragraph.

On raconte qu'un ________ capitaine, bien connu pour sa

21. (A) certes
    (B) certain
    (C) uncertain
    (D) cette
    (E) certaine

________ décida un jour, de se ________ d'un malheureux

22. (A) courage
    (B) tempérament
    (C) cruauté
    (D) cruelle
    (E) vigoureux

23. (A) tâter
    (B) trépigner
    (C) rager
    (D) enragé
    (E) moquer

prisonnier à qui il ordonna de sauter ________ dans un fossé.

24. (A) mains jointes
    (B) à mille pattes
    (C) à pied bot
    (D) à pieds joints
    (E) pied de nez

L'histoire nous dit que Jeanne d'Arc était ________

25. (A) convaincre
    (B) confite
    (C) convainc
    (D) vaincue
    (E) convaincue

d'avoir été appelée à __________ le royaume de France; elle

26. (A) dérober
    (B) enrober
    (C) sauver
    (D) saler
    (E) réformer

révéla __________ de France l'existence d'un sentiment

27. (A) au peuple
    (B) aux pleutres
    (C) aux pères
    (D) à la Baule
    (E) appert

__________ inconnu, le patriotisme

28. (A) jamais
    (B) déjà
    (C) jusqu'alors
    (D) néammoins
    (E) cependant

Comme l'année __________ tirait à sa fin, le maître

29. (A) pascale
    (B) cretonne
    (C) fauvette
    (D) scolaire
    (E) matinale

avait __________ les élèves d'avoir à __________ à la biblio-

30. (A) prévenu
    (B) prévu
    (C) revu
    (D) revue
    (E) préposé

31. (A) rapporté
    (B) rapports
    (C) rapporter
    (D) rapport
    (E) repart

thèque ________ leurs livres sous peine d' ________ .

32. (A) toutes
(B) tousse
(C) toux
(D) tout
(E) tous

33. (A) amande
(B) amende
(C) Armande
(D) amant
(E) aimant

Sur la côte ________ se livra une ________

34. (A) normande
(B) mordante
(C) blanc
(D) à dents
(E) dedans

35. (A) croûte
(B) brute
(C) broute
(D) loutre
(E) lutte

acharnée entre les ________ du roi et la garde républicaine.

36. (A) peaux
(B) partisans
(C) présents
(D) faisan
(E) presse

Je préfère les oeillets et les roses ________ et

37. (A) blancs
(B) bancs
(C) blanches
(D) à balance
(E) brochet

pour cela il faut ________ en ville jusqu'à la ________

38. (A) monté
(B) montre
(C) monstre
(D) monter
(E) morte

39. (A) magasin
(B) étalage
(C) vitrines
(D) grenier
(E) boutique

du Père Mathurin pour lui en commander quelques ________ .

40. (A) poussins
(B) douzaines
(C) coussins
(D) cousins
(E) suzerains

Questions 41 to 60

DIRECTIONS: In each question, a situation is presented. Select from the five choices that follow, the choice which is the most appropriate response to the situation given.

41. Un élève demande la permission de fermer la fenêtre. Le maître répond:
(A) Prenez plutôt l'autobus.
(B) Il est l'heure du déjeuner.
(C) Je ne sais pas si c'est vraiment M. Dupont.
(D) Il a gagné la course
(E) Vous avez trop chaud?

42. La fillette demande où elle doit mettre les fleurs. Sa mère répond:
(A) au grenier
(B) à la cave
(C) dans la mansarde
(D) dans le vase bleu
(E) dans le pot à colle

43. Madame Dupont est fatiguée d'essayer des chapeaux. La modiste lui dit:
(A) faites donc du tennis!
(B) asseyez-vous donc!
(C) essayez-en donc un autre!
(D) tournez autour de la statue!
(E) mordez-vous donc le pouce!

44. Le petit garçon s'est perdu dans la forêt. Il se met à pleurer. Un bûcheron qui passe lui demande?
    (A) tu viens de Paris?
    (B) tu t'es égaré dans le bois?
    (C) tu cherches ta voiture?
    (D) tu vas à la pêche?
    (E) tu es en vacances?

45. Le jeune homme a été arrêté à la frontière; le garde lui avait demandé ses papiers et il avait répondu:
    (A) je ne lis pas de journal
    (B) je ne porte qu'un chapeau melon
    (C) je suis contre toute manoeuvre suspecte
    (D) je n'ai pas de passeport
    (E) passez votre chemin

46. Hélène salue une personne qui passe dont la physionomie lui est familière. La dame a l'air surpris et remarque:
    (A) quelle joie de vous revoir!
    (B) excusez-moi mais votre nom m'échappe!
    (C) aimez-vous l'omelette au lard?
    (D) c'est la troisième rue à gauche.
    (E) j'y vais le jeudi.

47. Durand a perdu son portefeuille. Il va aux objets trouvés où on lui demande une description de l'objet. Il commence:
    (A) deux mêtres de long et gros comme le bras
    (B) du satin bleu orné de dentelle
    (C) en carton mordoré avec des boucles
    (D) de cuir brun avec trois poches
    (E) d'or bordé de platine

48. Leblanc arrive à la gare avec une heure d'avance. L'employé lui dit:
    (A) Allez à la salle d'attente
    (B) Rentrez chez vous
    (C) Fermé le dimanche
    (D) Ouvert le dimanche
    (E) par ici la sortie

49. Suzanne n'aime que les meubles modernes. Son amie lui conseille d'en acheter:
    (A) chez l'antiquaire
    (B) au marché au poisson
    (C) au musée du Louvre
    (D) à la Bourse
    (E) aux grands magasins

50. On lui demande si elle veut assister à une répétition générale. Elle accepte en disant:
    (A) avec plaisir car j'adore le théâtre sous toutes ses formes
    (B) non, merci, j'ai horreur des cercles militaires
    (C) avec joie mais que dois-je dire?
    (D) mais oui, pour écouter les perroquets
    (E) non, pas aujourd'hui

51. Un étranger demande à un passant de lui indiquer l'hôtel de ville. Le passant lui demande:
    (A) c'est pour passer la nuit?
    (B) vous voulez le visiter?
    (C) qui est-ce?
    (D) Monsieur de Ville est en voyage
    (E) il n'en est pas question

52. La maison porte un écriteau " A Louer." Jean se dit:
    (A) Tiens, quelqu'un vient de déménager
    (B) Tiens, une église.
    (C) C'est drôle
    (D) Dupond vend sa propriété
    (E) Quelle imprudence!

53. Il cherche partout son stylo à bille. Son camarade lui suggère:
    (A) il est peut-être resté dans la poche de ton autre veston.
    (B) Regarde dans le buffet
    (C) ta mère l'a glissé dans ton sandwich
    (D) tu t'en es servi pour manger ta soupe
    (E) demande-le au boucher

54. Les deux amis veulent aller au cinéma mais en voyant la foule qui se presse à la caisse, l'un dit à l'autre:
    (A) il pleut toujours le dimanche
    (B) la peinture à l'huile? qu'est-ce que c'est?
    (C) il s'est cassé la jambe aux sports d'hiver
    (D) regarde cette queue; nous reviendrons une autre fois
    (E) La pauvre femme! Elle est bien laide!

55. Duluc joue un mauvais tour à son associé qui ne se doutait de rien. Découvrant la supercherie dont il a été victime, ce dernier s'écrie:
    (A) Duluc est pourtant beau garçon!
    (B) La cartomancienne m'a pourtant dit de me méfier des blondes.
    (C) Et moi qui avais toute confiance en lui!
    (D) Les confitures au citron? quelle horreur!
    (E) La rue est bien étroite!

56. Le professeur a la patience d'un ange, c'est -à-dire,
    (A) qu'il ne se met jamais en colère
    (B) qu'il est toujours en colère
    (C) qu'il ne cesse de récriminer
    (D) qu'il est méchant
    (E) qu'il se trompe souvent de parapluie

57. Le tailleur lui fait essayer un veston et lui dit:
    (A) celui-ci vous va très bien
    (B) celle-ci vous va à ravir
    (C) où va-t-elle vous voir?
    (D) il fait un pli au genou
    (E) voulez-vous un col de fourrure?

58. Elle accepte une invitation par téléphone et raccroche en disant:
    (A) jamais de la vie!
    (B) il n'en est pas question!
    (C) Bien sûr que non!
    (D) Vous vous méprenez sur mes intentions!
    (E) D'accord, à demain!

59. A force de travailler, Pierre a enfin réussi à passer son examen. Ses amis le félicitent en disant:
    (A) tu vois, ce n'était pas la mer à boire!
    (B) tu as bien fait de boire!
    (C) Tu bois, félicitations!
    (D) Ne boîte donc plus!
    (E) Pauvre garçon, il vient encore d'échouer au bachot!

60. Gaston vient de recevoir un zéro de conduite. Son père lui dit:
    (A) Bravo, félicitations!
    (B) Petit garnement, je vais te montrer de quel bois je me chauffe!
    (C) Pour un début, ce n'est pas mal!
    (D) Dansons la capucine
    (E) Tu es un enfant prodige!

Questions 61 to 80

DIRECTIONS: Choose the word or phrase that fits best into the blank space in each sentence.

61. Je suis très fatigué. Je vais me _________ .
    (A) lasser
    (B) léser
    (C) reposer
    (D) raser
    (E) ruser

62. Ce lion est encore fort sauvage; il faudra le _________ .
    (A) dompter
    (B) déranger
    (C) préciser
    (D) dévorer
    (E) gronder

63. Si vous achetez cet horrible meuble, vous allez ________ votre argent.
   (A) ligoter
   (B) saisir
   (C) attacher
   (D) gaspiller
   (E) étaler

64. Après son accident il s'est affolé et il a perdu ________.
   (A) la tête
   (B) l'été
   (C) l'attente
   (D) l'heure
   (E) l'ouvrage

65. Les bretonnes aiment beaucoup la ________ qui orne leurs coiffes.
   (A) lanterne
   (B) dentelle
   (C) lacet
   (D) foin
   (E) foire

66. Comme votre voiture est en réparation, ________ une autre.
   (A) lorgnez-en
   (B) laissez-en
   (C) louez-en
   (D) grattez-en
   (E) versez-en

67. Le champagne est un vin ________ .
   (A) maussade
   (B) monsieur
   (C) mousseux
   (D) musical
   (E) marchand

68. Ce garçon ne manque pas d'audace; il est vraiment ______.
(A) ample
(B) hardi
(C) délicat
(D) étriqué
(E) herbeux

69. Faites donc ________ cette jupe trop longue!
(A) ramollir
(B) élargir
(C) élaguer
(D) raccourcir
(E) rugir

70. Cet enfant ne sait jamais où il a rangé ses affaires. Qu'il est ________ .
(A) dissimulé
(B) distrait
(C) discret
(D) désert
(E) dessert

71. Il va à la chasse au ________ .
(A) lièvre
(B) livres
(C) lèvres
(D) foie
(E) fuite

72. Cet ________ a refusé de dépenser un sou.
(A) dur
(B) avare
(C) horreur
(D) éléphant
(E) honneur

73. Après cet attentat, il faut l' ________ de notre comité.
    (A) intercaler
    (B) interposer
    (C) exclure
    (D) déménager
    (E) deviner

74. A cause du manque d'eau, ces fleurs n'ont pas été ________.
    (A) arrosées
    (B) flétries
    (C) fumer
    (D) arrivées
    (E) gravés

75. Elle va à l'église faire sa ________ .
    (A) supplice
    (B) prière
    (C) détour
    (D) devoir
    (E) demanche

76. Jean n'a pas travaillé; je crains qu'il ________ à l'examen.
    (A) pioche
    (B) pêche
    (C) paresse
    (D) échoue
    (E) échelon

77. Je ne pus pas fermer la bouteille sans ________ .
    (A) bûche
    (B) bêche
    (C) bucheron
    (D) bouchon
    (E) boucher

78. Après cet accès de rage, Paul comprit qu'il lui fallait ________ .
(A) se dépêcher
(B) se parer
(C) se séparer
(D) se dominer
(E) s'admirer

79. L'état du malade est désespéré: il ne cesse d' ________ .
(A) empirer
(B) améliorer
(C) dormir
(D) embarrasser
(E) danser

80. Jean n'est pas allé à l'école. Il a été marqué ________ .
(A) décent
(B) absent
(C) accent
(D) passant
(E) pendant

Questions 81 to 100

DIRECTIONS: Each passage is followed by several questions. For each question, select the word or expression which most satisfactorily answers the question or completes the statement.

Au mois de juin, Pantagruel prit congé de son père Gargantua et monta sur un bateau, accompagné de Panurge et d'autres amis. Pendant le voyage un marchand qui faisait transporter un troupeau de moutons sur le même bateau chercha querelle à Panurge. Celui-ci décida de se venger de lui. Il acheta au marchand un de ses moutons, à un prix exorbitant. Puis, tout à coup, prenant son mouton dans ses bras, Panurge le jeta à la mer sans hésiter.

Le pauvre mouton fit entendre des cris et des bêlements désespérés. Ses camarades, criant et bêlant aussi fort que lui commencèrent à sauter du bateau les uns après les autres. Rien ne pouvait les en empêcher, car n'est-ce pas de la nature du mouton de toujours suivre le premier, peu importe où il aille?

Le marchand, tout effrayé de voir ses moutons se noyer, s'efforçait de les retenir, mais en vain. Finalement, il en saisit un gros et le serra très fort dans ses bras, pensant ainsi pouvoir le retenir et sauver le reste. Le mouton était si fort qu'il entraîna avec lui, dans la mer, le marchand impoli et avare qui fut noyé misérablement.

81. un prix exorbitant
   (A) un prix raisonnable
   (B) au comptant
   (C) sur mesure
   (D) à forfait
   (E) très cher

82. chercher querelle
   (A) jouer à la marelle
   (B) par curiosité
   (C) provoquer une dispute
   (D) regarder par la fenêtre
   (E) dissimuler son visage

83. Que pensez-vous des sentiments de l'auteur à l'égard du marchand?
   (A) Il l'admire
   (B) il lui trouve du bon sens
   (C) il le juge sévèrement
   (D) il l'envoie se noyer
   (E) il le plaint

84. Les moutons, dans ce passage tout au moins, semblent-ils se comporter d'une façon absolument caractéristique?
(A) Non, tous les animaux, lorsqu'ils sont en troupeau agissent de la même façon.
(B) oui, aucun autre animal ne ferait de même
(C) oui, car le marchand leur avait recommandé de fuir
(D) peut-être car ils sont connus pour leur flair
(E) le mouton est le symbole de l'intégrité

85. Que pensez-vous de Panurge?
(A) il est bête
(B) c'est un mouton à deux pattes
(C) c'est un homme avisé qui ne manque pas de finesse
(D) c'est un usurpateur
(E) c'est un tigre sous une peau de mouton

Voici la lettre que Rastignac reçut de sa mère:

"Mon cher enfant, je t'envoie ce que tu m'as demandé. Fais un bon emploi de cet argent. Je ne pourrais même **s'il s'agissait de te** sauver la vie, trouver une seconde fois une somme aussi considérable. Tu m'as demandé de l'argent, mais tu ne m'as pas dit pourquoi tu en as besoin. Pourquoi ce mystère? Un mot d'explication suffit à une mère, et ce mot m'aurait évité les angoisses de l'incertitude. Je ne saurais te cacher l'impression douloureuse que ta lettre m'a causée. Dans **quelle carrière dangereuse t'engages-tu donc?** Mon bon Eugène, crois en le coeur de ta mère; la patience et la résignation doivent être les vertus des jeunes gens qui sont dans ta position. Je ne te gronde pas parce que je sais combien ton coeur est pur, combien tes intentions sont excellentes. Aussi puis-je te dire sans crainte: va, mon bien-aimé, marche. Sois prudent cher enfant. Tu dois être sage comme un homme, la destinée de cinq personnes qui te sont chères repose sur ta tête..."

86. Les angoisses de l'incertitude
(A) la joie de la connaissance
(B) la pitié de l'inconnu
(C) l'apologie de la piété
(D) la difficulté de l'ombre
(E) la peine qu'on éprouve à rester dans l'ignorance

87. Un mot d'explication suffit à une mère
    (A) il lui faut de longues explications
    (B) elle comprend à demi-mot
    (C) elle est trop bornée pour jamais comprendre son fils
    (D) elle est sotte
    (E) son cerveau est enfantin

88. La mère de Rastignac semble
    (A) disposer de fonds considérables
    (B) se priver pour son fils
    (C) écrire peu
    (D) avoir un fils nommé Paul
    (E) vivre seule

89. Quelles sont les qualités que la mère souhaite à son fils?
    (A) l'esprit d'aventure
    (B) la rudesse et la violence
    (C) l'humilité patiente
    (D) la fureur à l'italienne
    (E) la fidélité passionnée

90. Quelle est l'impression que laissent les rapports entre cette mère et son fils?
    (A) ils sont froids
    (B) il y a un échange soutenu de confidences entre les deux
    (C) le fils cache quelque chose à sa mère
    (D) le fils hait le père
    (E) il y a trois soeurs qui sont jalouses

Le dix décembre, 1903, l'Académie des Sciences de Stockholm a annoncé publiquement que le prix Nobel de physique pour l'année courante avait été attribué par moitié a Henri Becquerel, par moitié à M. et Mme Curie, pour leurs découvertes sur la radio-activité.

Les sentiments de Marie Curie sont exprimés bien simplement dans une lettre à son frère Joseph:

—On nous a donné la moitié du prix Nobel. Je ne sais pas exactement ce que cela représente, je crois que c'est soixante-dix mille francs environ. Nous sommes inondés de lettres, de visites de photographes et de journalistes. On voudrait pouvoir se cacher sous terre pour avoir la paix. Nous avons eu une proposition d'Amérique pour aller faire là-bas une série de conférences sur nos travaux. Ils nous demandent quelle somme nous voulons recevoir. Quelles que soient les conditions, nous avons l'intention de refuser . . . Mon Irène va bien. Elle fréquente une petite école, assez loin de la maison. Il est très difficile, à Paris, de trouver une bonne école pour de petits enfants.

Je vous embrasse tous tendrement, et vous supplie de ne pas m'oublier.

91. <u>se cacher sous terre</u>
    (A) prendre le métro
    (B) mourir
    (C) disparaître aux yeux du monde
    (D) sombrer en mer
    (E) se noyer

92. <u>être inondé de lettres</u>
    (A) recevoir beaucoup de courrier
    (B) recevoir beaucoup d'eau
    (C) être trempé
    (D) faire un tour en barque
    (E) sortir par temps de pluie

93. Madame Curie semble-t-elle avoir été ravie d'attirer l'attention?
    (A) Elle n'aime que son frère
    (B) elle est bonne mère de famille
    (C) elle est horrifiée par les remous qui se produisent autour d'elle
    (D) elle adore la publicité
    (E) elle aime être en vedette

94. <u>l'année courante</u>
    (A) le temps qui passe
    (B) l'année qui est en train de s'écouler
    (C) l'année prochaine
    (D) demain en huit
    (E) bientôt

95. Mme Curie paraît-elle intéressée par les offres d'argent?
    (A) oui, beaucoup
    (B) un peu
    (C) pas du tout
    (D) ravie
    (E) énormément

Mon père ne savait pas tout, mais il savait un peu de tout, et ce peu, il le savait bien, l'ayant appris par lui-même. Dans sa jeunesse il avait fait un tour à travers la France qui avait duré trois ans, et il avait bien profité de ses voyages. Il avait parcouru la France du Nord au Sud, et de l'Est à l'Ouest, et, tout en travaillant de ses bras pour gagner son pain, il s'était servi de ses yeux et de ses oreilles pour s'instruire. "Mon secret est bien simple, disait-il: je n'ai jamais traversé un champ sans regarder les plantes qui y poussaient, et les bêtes qui s'y nourrissaient, et sans échanger quelques mots d'amitié avec l'homme qui y travaillait."

96. Qui est le héros de ce pasage?
    (A) un autodidacte
    (B) un dictateur
    (C) un dictaphone
    (D) dactylo
    (E) automate

97. travaillant de ses bras
    (A) travail cérébral
    (B) du piano
    (C) travail physique
    (D) effort artistique
    (E) acrobatie

98. Quel sentiment l'auteur du passage éprouve-t-il envers son père?
    (A) il le déteste
    (B) il le méprise
    (C) il le respecte
    (D) il le plaint
    (E) il le rencontre

99. L'homme dont il est question avait-il mené une vie sédentaire?
   (A) Oui, il restait toujours assis
   (B) Non, il avait beaucoup voyagé
   (C) Si, il allait aux champs
   (D) certainement, il cultivait les betteraves
   (E) pas du tout, il vivait en Californie

100. Quel était le secret de cet homme?
   (A) Il vivait seul
   (B) il aimait son fils
   (C) il n'allait jamais au cinéma
   (D) il dormait huit heures par jour
   (E) il savait observer

The French Achievement Test (Sample 6)
Is Now Over .
After One Hour, Stop All Work.

ANSWER KEY TO TEST 6

1.	A	26.	C	51.	B	76.	D
2.	A	27.	A	52.	A	77.	D
3.	E	28.	C	53.	A	78.	D
4.	A	29.	D	54.	D	79.	A
5.	C	30.	A	55.	C	80.	B
6.	A	31.	C	56.	A	81.	E
7.	A	32.	E	57.	A	82.	C
8.	C	33.	B	58.	E	83.	C
9.	E	34.	A	59.	A	84.	B
10.	B	35.	E	60.	B	85.	C
11.	D	36.	B	61.	C	86.	E
12.	B	37.	A	62.	A	87.	B
13.	C	38.	D	63.	D	88.	B
14.	C	39.	E	64.	A	89.	C
15.	A	40.	B	65.	B	90.	C
16.	E	41.	E	66.	C	91.	C
17.	C	42.	D	67.	C	92.	A
18.	A	43.	B	68.	B	93.	C
19.	B	44.	B	69.	D	94.	B
20.	B	45.	D	70.	B	95.	C
21.	B	46.	B	71.	A	96.	A
22.	C	47.	D	72.	B	97.	C
23.	E	48.	A	73.	C	98.	C
24.	D	49.	E	74.	A	99.	B
25.	E	50.	A	75.	B	100.	E

ANSWER SHEET TEST 7

1	A	B	C	D	E	26	A	B	C	D	E	51	A	B	C	D	E	76	A	B	C	D	E
2	A	B	C	D	E	27	A	B	C	D	E	52	A	B	C	D	E	77	A	B	C	D	E
3	A	B	C	D	E	28	A	B	C	D	E	53	A	B	C	D	E	78	A	B	C	D	E
4	A	B	C	D	E	29	A	B	C	D	E	54	A	B	C	D	E	79	A	B	C	D	E
5	A	B	C	D	E	30	A	B	C	D	E	55	A	B	C	D	E	80	A	B	C	D	E
6	A	B	C	D	E	31	A	B	C	D	E	56	A	B	C	D	E	81	A	B	C	D	E
7	A	B	C	D	E	32	A	B	C	D	E	57	A	B	C	D	E	82	A	B	C	D	E
8	A	B	C	D	E	33	A	B	C	D	E	58	A	B	C	D	E	83	A	B	C	D	E
9	A	B	C	D	E	34	A	B	C	D	E	59	A	B	C	D	E	84	A	B	C	D	E
10	A	B	C	D	E	35	A	B	C	D	E	60	A	B	C	D	E	85	A	B	C	D	E
11	A	B	C	D	E	36	A	B	C	D	E	61	A	B	C	D	E	86	A	B	C	D	E
12	A	B	C	D	E	37	A	B	C	D	E	62	A	B	C	D	E	87	A	B	C	D	E
13	A	B	C	D	E	38	A	B	C	D	E	63	A	B	C	D	E	88	A	B	C	D	E
14	A	B	C	D	E	39	A	B	C	D	E	64	A	B	C	D	E	89	A	B	C	D	E
15	A	B	C	D	E	40	A	B	C	D	E	65	A	B	C	D	E	90	A	B	C	D	E
16	A	B	C	D	E	41	A	B	C	D	E	66	A	B	C	D	E	91	A	B	C	D	E
17	A	B	C	D	E	42	A	B	C	D	E	67	A	B	C	D	E	92	A	B	C	D	E
18	A	B	C	D	E	43	A	B	C	D	E	68	A	B	C	D	E	93	A	B	C	D	E
19	A	B	C	D	E	44	A	B	C	D	E	69	A	B	C	D	E	94	A	B	C	D	E
20	A	B	C	D	E	45	A	B	C	D	E	70	A	B	C	D	E	95	A	B	C	D	E
21	A	B	C	D	E	46	A	B	C	D	E	71	A	B	C	D	E	96	A	B	C	D	E
22	A	B	C	D	E	47	A	B	C	D	E	72	A	B	C	D	E	97	A	B	C	D	E
23	A	B	C	D	E	48	A	B	C	D	E	73	A	B	C	D	E	98	A	B	C	D	E
24	A	B	C	D	E	49	A	B	C	D	E	74	A	B	C	D	E	99	A	B	C	D	E
25	A	B	C	D	E	50	A	B	C	D	E	75	A	B	C	D	E	100	A	B	C	D	E

French Achievement Test

Sample 7

Time: one hour

Questions 1 to 30

DIRECTIONS: In each question, a situation is first presented. Select from the five choices that choice which is the most appropriate response to the situation given.

1. Vous êtes allé au cinéma et vous n'avez pas pu trouver de place. Le portier vous console en disant:
   (A) On n'a pas encore ouvert la porte.
   (B) Le film n'est pas formidable.
   (C) La prochaine séance commence dans une heure.
   (D) Faites attention; vous allez tomber.
   (E) Ne poussez pas.

2. Votre voiture est en panne; vous la conduisez au garage. Le mécanicien voulant avoir des informations sur la panne vous dit:
   (A) Qu'est-ce qui ne va pas?
   (B) La route est très mauvaise.
   (C) Vous auriez dû faire attention.
   (D) Je ne m'attendais pas à vous voir.
   (E) Allez voir un médecin.

3. Vous entrez dans un magasin pour acheter un appareil de T.S.F.. Vous exprimez votre désir au vendeur qui vous dit:
   (A) Nous sommes en congé aujourd'hui.
   (B) Nous ne faisons pas de réparations.
   (C) Je vais vous montrer ce que nous avons.
   (D) Nous ne vendons pas de machines à coudre.
   (E) Est-ce-que vous désirez un appareil avec un moteur puissant?

4. Un bateau est surpris par la tempête. Pour calmer les passagers le capitaine leur dit:
   (A) Nous sommes en grand danger.
   (B) Nous allons couler.
   (C) Cela vous apprendra à voyager en avion.
   (D) Ne vous inquiétez pas; cela va passer.
   (E) Nous sommes loin de la côte.

5. Monsieur et madame vont au restaurant. On leur sert un poulet très dur. Ils disent au garçon:
   (A) Le poulet est très tendre.
   (B) La nourriture est détestable.
   (C) Nous n'avons pas de couteaux.
   (D) Est-ce-qu'il peut voler?
   (E) Le poulet est succulent.

6. Vous sortez en promenade, et il fait très froid. Vous dites à votre femme que cette basse température vous surprend et elle répond:
   (A) On voit bien que nous sommes dans les tropiques.
   (B) Nous allons faire une longue promenade.
   (C) Le plafond n'est pas trop bas.
   (D) je ne l'ai pas fait exprès.
   (E) Retournons à la maison pour prendre nos manteaux.

7. Vous arrivez en France; l'employé de la douane qui va inspecter vos bagages vous dit:
   (A) Votre passeport n'est pas en règle.
   (B) Je vous souhaite un heureux séjour en France.
   (C) Dépêchez-vous, vous êtes en retard.
   (D) Vous n'avez rien à déclarer?
   (E) Avez-vous fait un bon voyage?

8. Vous arrivez à la gare; vous constatez que vous avez raté votre train et vous vous dites:
   (A) Les trains sont très rapides de nos jours.
   (B) J'aurais dû prendre un billet de première classe.
   (C) Si j'avais pris un taxi, cela ne serait pas arrivé.
   (D) Je suis arrivé juste à temps.
   (E) Il fallait avertir par téléphone.

9. Une personne a eu un accident de voiture. Vous lui demandez si elle est blessée et elle vous répond:
   (A) Je n'ai pas de permis de conduire.
   (B) Ma voiture n'est pas en panne.
   (C) Je suis seul dans la voiture.
   (D) L'hôpital n'est pas loin d'ici.
   (E) J'ai de la veine; je n'ai pas une égratignure.

10. Vous voulez acheter un costume. Vous l'essayez et il ne vous va pas; vous demandez au vendeur de vous en apporter une autre et il vous répond:
   (A) Le tailleur n'est pas là.
   (B) Je vais appeler le patron.
   (C) Je suis au regret, c'est le seul costume que nous avons dans ce modèle.
   (D) C'est la première fois que cela nous arrive.
   (E) Regardez-vous dans le miroir?

11. Paul arrive en retard à l'école. Le professeur lui en demande la raison. Paul répond:
   (A) Il n'est pas encore dix heures.
   (B) Je me suis reveillé trop tard.
   (C) J'ai marché très vite.
   (D) Maman est fâchée.
   (E) Ce n'est pas la première fois.

12. Vous êtes à Paris, et vous vous égarez. Vous demandez à l'agent de police de vous aider et il vous répond:
   (A) Paris est très grand.
   (B) Il y a beaucoup de monde dans les rues.
   (C) Parlez-vous français?
   (D) La rue que vous cherchez est à votre droite.
   (E) Garez votre voiture à droite.

13. Ce pauvre monsieur est __________ de douleur.
   (A) accablé
   (B) tiré
   (C) alourdi
   (D) étonné
   (E) battu

14. L'élève qui a réussi aux examens est __________ de joie.
    (A) content
    (B) retourné
    (C) aimable
    (D) fou
    (E) soutenu

15. Il __________ chaud en été.
    (A) arrive
    (B) trouve
    (C) fait
    (D) sent
    (E) tourne

16. Nous avons attaqué soudainement l'ennemi qui a été pris par __________ .
    (A) traîtrise
    (B) action.
    (C) retraite
    (D) peur
    (E) surprise

17. Le voleur dit au juge qui le réprimande:
    (A) C'est un plaisir de faire votre connaissance.
    (B) Vous tombez à point.
    (C) Je vous promets de ne plus recommencer.
    (D) C'en est une bonne.
    (E) Tout est bien, qui finit bien.

18. Le roi a __________ une grande défaite à ses ennemis.
    (A) donné
    (B) poussé
    (C) infligé
    (D) imposé
    (E) écrasé

20. Je ________ des douleurs à la jambe.
    (A) vois
    (B) ressent
    (C) ressens
    (D) passe
    (E) soutiens

21. C'est un bon élève; il est ________ .
    (A) sportif
    (B) fort
    (C) studieux
    (D) rapide
    (E) important

22. Le ciel est couvert de nuages; il fait ________ .
    (A) clair
    (B) froid
    (C) sombre
    (D) chaud
    (E) beau

23. Le fleuve est sorti de son lit et a ________ la région.
    (A) contaminé
    (B) refait
    (C) embelli
    (D) réjoui
    (E) dévasté

24. L'agent de police a demandé ses papiers ________ .
    (A) au général
    (B) au juge
    (C) au commerçant
    (D) au gueux
    (E) au soldat

25. L'ambassadeur a présenté au chef de gouvernement ses lettres de ________ .
    (A) confiance
    (B) présentation
    (C) d'arrivée
    (D) créance
    (E) nomination

26. L'élève n'a pas encore fini son ________ .
    (A) travail à la maison
    (B) devoir
    (C) ouvrage
    (D) tache
    (E) obligation

27. Il est allé chasser dans la ________ .
    (A) rue
    (B) forêt
    (C) mer
    (D) place
    (E) chambre

28. Ils se sont mariés ________ .
    (A) à la mairie
    (B) dans le train
    (C) dans le magasin
    (D) au Canada
    (E) dans le jardin

29. Je vais au théâtre pour me ________ .
    (A) sortir
    (B) marcher
    (C) distraire
    (D) gagner
    (E) courir

30. Les soldats marchent ________ .
    (A) pêle-mêle
    (B) en désordre
    (C) en danse
    (D) en ronde
    (E) en colonne

Questions 31 to 50

DIRECTIONS: Each sentence or paragraph contains blank spaces. Under each blank space there are five choices. Select that choice which fits in correctly with the context of the sentence or paragraph. A blank space for choice (A) means that there is no insertion for this choice.

Par un travail ________ il parvint ________ faire des économies.

31. (A) acharnées
    (B) acharnée
    (C) acharné
    (D) acharnés
    (E) très acharnés

32. (A) à
    (B) de
    (C) en
    (D) pour
    (E) sur

________ lui permit ________ aller à l'école, et il

33. (A) Cela
    (B) Cette
    (C) Le quoi
    (D) Le qui
    (E) Celui

34. (A) d'en
    (B) à
    (C) d'
    (D) s'en
    (E) pour

________ un élève remarquable. La maison dans ________ il vivait,

35. (A) devenu
    (B) devenir
    (C) devenait
    (D) devint
    (E) deviendrait

36. (A) dont
    (B) lequel
    (C) laquelle
    (D) duquel
    (E) qui

était __________ à la campagne, dans un endroit très éloigné de la ville.

37. (A) situé
(B) située
(C) été situé
(D) situées
(E) situés

Il ne se découragea pas et ________ soir il faisait à pied le long trajet.

38. (A) chacun
(B) du
(C) tout
(D) tous
(E) chaque

__________ le monde l'aimait beaucoup à cause de __________

39. (A) Tout
(B) Tous
(C) Toutes
(D) Toute
(E) Toux

40. (A) son
(B) sa
(C) siens
(D) ces
(E) ses

qualités et de son intelligence. Il fréquenta l'une __________ plus

41. (A) du
(B) de les
(C) des
(D) desquels
(E) de la

grandes écoles de droit du pays. Il arriva à être un avocat ______

42. (A) dont
    (B) du quel
    (C) de qui
    (D) duquel
    (E) de que

l'habileté devint célèbre. Cependant il n'était __________ orgueilleux

43. (A) _____
    (B) ni
    (C) pas
    (D) tant
    (E) ne

__________ vaniteux. Mais il ne se contenta pas de __________ succès.

44. (A) ne pas
    (B) ne
    (C) ni
    (D) tant
    (E) ne

45. (A) ces
    (B) ses
    (C) son
    (D) sa
    (E) les

Il décida de jouer un rôle important __________ son pays.

46. (A) _____
    (B) dans
    (C) sur
    (D) en
    (E) dont

Il __________ beaucoup de volonté et s'acharnait à tout _____ il entreprenait,

47. (A) eut
    (B) eu
    (C) avait
    (D) a
    (E) avat

48. (A) ce qu'
    (B) ce qui
    (C) ce quoi
    (D) lequel
    (E) cela

__________ dans cette voie; il ne recula devant __________ difficulté.

49. (A) ayant lancé
(B) ayant lancés
(C) s'etant lancé
(D) s'etant lancés
(E) avoir

50. (A) auquel
(B) aucun
(C) aucune
(D) peu
(E) ni

Questions 51 to 75

DIRECTIONS: Each question consists of a sentence, part of which is underlined. From the five choices, select the one which, grammatically, could not *properly replace the underlined word or words in the sentence.*

51. Je ne pense pas que ce soit vrai.
(A) que cela puisse arriver.
(B) qu'il vienne
(C) qu'il arrive.
(D) que cela marchera.
(E) que c'est bien.

52. D'où vient-il?
(A) A quelle heure
(B) Quand
(C) Avec qui
(D) Quoi
(E) Pourquoi

53. Je suis sorti hier.
(A) avant lui.
(B) demain.
(C) tout de suite.
(D) pour aller le voir.
(E) sans chapeau.

54. C'est une jeune fille intelligente.
(A) blonde
(B) rusée
(C) bien élévée
(D) instruite
(E) américain

55. Il n'a pas pu acheter son chapeau.
(A) ce
(B) le
(C) mon
(D) un
(E) du

56. Tout le monde est parti.
(A) Le général
(B) Le frère
(C) Marie
(D) Il
(E) L'agent de police

57. Le chauffeur ne s'est pas présenté.
(A) Rien
(B) Il
(C) Celui-ci
(D) On
(E) Le père

58. As-tu vu le banc sur lequel j'étais assis.
(A) sur qui se trouvait mon chapeau.
(B) contre lequel il était appuyé.
(C) qui se trouve dans le parc.
(D) près duquel se tient le jeune homme.
(E) qui est peint en rouge.

59. Ceci arriva pendant qu'il était en ville.
(A) passait
(B) se reposait
(C) chantait
(D) se promenait
(E) dormit

60. Je doute qu'il vienne
(A) chante
(B) arrive
(C) le demande
(D) le porte
(E) part

61. Je me demande s'il l'aurait dit.
(A) le dirait.
(B) ne le dira pas.
(C) le n'a pas dit.
(D) le dise.
(E) ne l'a pas dit.

62. Je lui ai donné du lait.
(A) beaucoup de
(B) peu de
(C) le
(D) ce
(E) de

63. C'est un grand arbre.
(A) jeune
(B) beau
(C) nouvel
(D) bel
(E) petit

64. J'ai vu les enfants chez lui.
(A) leur maison.
(B) eux.
(C) leur soeur.
(D) leur papa.
(E) leur frère.

65. Il ne parle que de sport.
(A) de personne
(B) qu'aux enfants
(C) que de partir
(D) littérature
(E) à personne

66. Paul économise <u>dans le but de</u> partir.
    (A) pour
    (B) dans l'espoir de
    (C) étant
    (D) en vue de
    (E) dans l'intention de

67. <u>Je n'ai vu</u> rien de beau.
    (A) On ne vous montrera
    (B) Ce matin,
    (C) Il ne pense à
    (D) Il lui a dit
    (E) N'attendez

68. Je ne veux pas <u>qu'il parle.</u>
    (A) partir
    (B) qu'il s'en aille
    (C) lui dire bonjour
    (D) qu'il se met dans cette affaire
    (E) qu'il voyage

69. A-t-il <u>remis</u> la lettre à son père?
    (A) ôté
    (B) reçu
    (C) envoyé
    (D) adressé
    (E) écrit

70. <u>Avez-vous du pain? Oui,</u> j'en ai.
    (A) Je vous en enverrai;
    (B) Je lui enverrai du pain;
    (C) Je lui en enverrai du pain;
    (D) J'en ai acheté deux;
    (E) J'en ai mangé un;

71. <u>Pourquoi</u> est-il venu?
    (A) D'où
    (B) Quand
    (C) Quel mois
    (D) Quel jour
    (E) Que

72. Lequel avez-vous vu?
    (A) vous plaît?
    (B) est arrivé le premier?
    (C) parle-t-il?
    (D) n'aimez-vous pas?
    (E) avez-vous vendu?

73. Les enfants que j'ai vus ce matin, sont partis.
    (A) Les chapeaux
    (B) Les souliers
    (C) Les hommes
    (D) Les vieillards
    (E) Les voitures

74. C'est un jeune homme.
    (A) beau
    (B) grand
    (C) petit
    (D) viel
    (E) bel

75. Il a ceci de particulier.
    (A) Quoi
    (B) J'ai appris quelque chose
    (C) Rien
    (D) Il a cela
    (E) Plusieurs

Questions 76 to 100

DIRECTIONS: Each passage is followed by several questions. For each question, select the word or expression which most satisfactorily answers the question or completes the statement.

La maman trouva que sa fille avait une figure si ridicule qu'elle éclata de rire.

"Voilà une belle idée que vous avez eue, mademoiselle! lui dit-elle. Si vous voyiez la figure que vous avez, vous ririez de vous-même comme je le fais maintenant. Je vous avais défendu de sortir; vous avez désobéi comme d'habitude; pour votre punition vous allez rester comme vous êtes, les cheveux en l'air, la robe mouillée, afin que votre papa et votre cousin Paul voient vos belles inventions. Voici un mouchoir pour achever de vous essuyer la figure, le cou et les bras."

76. De quoi la mère rit-elle?
    (A) de la beauté de sa fillette
    (B) du drôle de visage de sa fillette
    (C) de la belle idée de sa fillette
    (D) de la silhouette de sa fillette
    (E) de la joie de sa fillette

77. Qu'avait fait la mère?
    (A) Elle avait dit à la petite de ne pas sortir
    (B) Elle avait dit à la petite de se laver.
    (C) Elle avait défendu la petite contre son cousin.
    (D) Elle avait ri d'elle-même.
    (E) Elle l'avait battue.

78. Qu'avait fait la petite?
    (A) Elle avait formé une bonne habitude.
    (B) Elle avait inventé quelque chose.
    (C) Elle était sortie.
    (D) Elle avait pris un bain.
    (E) Elle avait étudié sa leçon.

79. Quelle serait sa punition?
    (A) Elle allait se nettoyer.
    (B) Elle allait se reposer.
    (C) Elle allait rester à peu près comme elle était.
    (D) Elle allait changer de robe.
    (E) Elle allait rester sans souper.

80. Pourquoi la mère lui donna-t-elle un mouchoir?
    (A) pour essuyer ses larmes
    (B) pour se moucher
    (C) pour faire signe à son père et à son cousin
    (D) pour le mettre dans sa poche
    (E) pour s'essuyer complètement le visage

—À ce compte, dit la marquise, la philosophie en est arrivée au point de suivre les lois qui règlent les machines?

—À tel point, répondis-je, que je crains qu'on n'en ait bientôt honte. On veut que l'univers ne soit en grand que ce qu'une montre est en petit, et que tout s'y conduise par des mouvements réglés qui dépendent de l'arrangement des parties.

—Et moi, répliqua-t-elle, j'estime l'univers beaucoup plus depuis que vous me dites tout cela. Il est surprenant que l'ordre de la nature ne roule que sur des choses si simples.

—Je ne sais pas, lui répondis-je, qui vous a donné des idées si saines; mais en vérité, il n'est pas trop commun de les avoir. Assez de gens ont toujours dans la tête un faux merveilleux, enveloppé d'une obscurité qu'ils respectent. Ils n'admirent la nature que parce qu'ils la croient une espèce de magie où l'on n'entend rien.

81. La philosophie de nos jours
    (A) est très mécanique
    (B) donne lieu à la honte
    (C) règle les lois de l'univers
    (D) est peu mécanique
    (E) est très flexible

82. Certaines gens disent que l'univers
    (A) est petit comme une montre
    (B) ne ressemble aucunement à une montre
    (C) donne peu d'indications d'ordre
    (D) est réglé comme une montre
    (E) n'est réglé par aucune loi

83. La marquise est surprise
    (A) que tout soit si incompréhensible
    (B) qu'il n'y ait que confusion dans le monde
    (C) que le principe de l'univers soit tellement facile à comprendre
    (D) que l'ordre des choses soit si compliqué
    (E) que la philosophie explique le monde

périence de la guerre pour savoir que si on attaque ses ennemis du premier coup avec promptitude, on a moins de peine à les mettre en déroute. Allons! celui qui s'épargnera dans ce combat, que le Dieu de gloire ne lui donne jamais honneur!"

86. Nous savons que nos ancêtres
    (A) n'ont pas oublié leurs noms
    (B) sont restés dans l'oubli
    (C) se racontaient des histoires
    (D) vivent dans les livres d'histoire
    (E) ne lisaient pas de livres d'histoires

87. Celui qui mourra dans cette bataille
    (A) sera banni de la gloire de Notre-Seigneur
    (B) considéré comme un bon soldat
    (C) sera vite oublié
    (D) recevra le blâme de la postérité
    (E) ira au ciel

88. Pour gagner la bataille, il faut
    (A) avoir de bonnes armures
    (B) être arrogant
    (C) être plus nombreux que l'ennemi
    (D) mourir
    (E) croire en Dieu

89. Aujourd'hui l'ennemi va nous trouver
    (A) disposés à fuir
    (B) sur le point de dormir
    (C) désireux de combattre
    (D) résignés devant la mort
    (E) très habiles guerriers

90. Dans la bataille, il vaut mieux
    (A) prendre ses aises
    (B) attendre l'attaque de l'adversaire
    (C) éviter le combat
    (D) attaquer d'abord l'adversaire
    (E) combattre à cheval

84. Les idées saines sont
    (A) peu communes
    (B) forcément claires
    (C) obscures
    (D) très communes
    (E) propres au philosophe

85. Certaines personnes admirent
    (A) ce qui fait du bruit
    (B) ce qu'ils ne comprennent pas
    (C) ce qui est silencieux
    (D) ce qui est clair
    (E) ce qui procure du plaisir

"Pour Dieu, dit le maréchal, que cette bataille nous apporte honneur! Celui qui se conduirait mal serait banni de la gloire de Notre-Seigneur. Souvenez-vous de nos ancêtres très courageux dont les noms sont encore rappelés dans les histoires. Sachez bien que celui qui mourra pour Dieu dans cette bataille, son âme s'en ira toute fleurie en paradis. Le champ de bataille est à nous, pourvu que nous ayons pleine foi en Dieu. Si les ennemis sont plus nombreux que nous, que nous importe? Ils sont arrogants aujourd'hui parce qu'ils nous ont trouvés ces jours-ci un peu las; mais nous voilà reposés et prêts à les étonner. Pour Dieu, **n'attendons pas qu'ils nous attaquent les premiers.** J'ai assez l'ex-

Rendu à sa famille, Robert parvint à force de travail et avec le secours de quelques amis à rétablir ses affaires. Cependant son fils s'occupait toujours à découvrir le généreux bienfaiteur qui se cachait si obstinément aux remerciements de sa famille. Un an s'était écoulé sans qu'il eût pu le découvrir, lorsqu'il le rencontra enfin, un dimanche matin, se promenant seul sur le quai.

91. **Où Robert retourna-t-il?**
    (A) à l'hôpital
    (B) à son bureau
    (C) chez lui
    (D) chez des amis
    (E) à l'école

92. Comment Robert réussit-il à rétablir ses affaires?
    (A) très facilement
    (B) par la force
    (C) avec l'aide de son fils
    (D) avec l'aide d'autres personnes
    (E) en demandant de l'aide à tous ses amis

93. Que faisait le fils de Robert?
    (A) Il cherchait une personne inconnue.
    (B) Il cachait un bienfaiteur.
    (C) Il remerciait la famille.
    (D) Il continuait à se cacher.
    (E) Il aidait son papa.

94. Combien de temps le fils mit-il à cette affaire?
    (A) une fin de semaine
    (B) douze mois
    (C) plusieurs journées
    (D) quinze jours
    (E) une dizaine de jours

95. Où se trouvait le personnage évasif?
    (A) au cinéma
    (B) dans la mer
    (C) dans une voiture
    (D) à l'église
    (E) près de l'eau

Après avoir gagné la bataille d'Arcole qui avait duré trois jours, Bonaparte, sous un vêtement fort simple, parcourait son camp afin d'examiner par lui-même si les fatigues de trois jourées aussi pénibles n'avaient rien fait perdre à ses soldats de leur discipline et de leur surveillance habituelles. Le général trouve une sentinelle endormie, lui enlève doucement son fusil sans l'éveiller, et monte la garde à sa place. Quelques moments après, le soldat se réveille; se voyant ainsi désarmé et reconnaissant son général, il s'écrie: "Je suis perdu!" "Rassure-toi," lui dit Bonaparte avec douceur, "après tant de fatigues, il peut être permis à un brave tel que toi de succomber au sommeil; mais une autre fois choisis mieux ton temps."

96. Bonaparte voulait voir de ses propres yeux
    (A) s'il avait perdu beaucoup de soldats
    (B) si ses hommes étaient mal vêtus
    (C) si ses soldats négligeaient leur devoir
    (D) si les combattants se plaignaient
    (E) si la nourriture était bonne

97. Il trouva une de ses sentinelles qui
    (A) manquait de vigilance
    (B) était sur le qui-vive
    (C) s'abstenait de dormir
    (D) avait beaucoup de peine
    (E) s'amusait

98. Que fit le général en trouvant ainsi la sentinelle?
    (A) Il fit sonner le réveil.
    (B) Il lui ôta son arme.
    (C) Il se mit en colère.
    (D) Il la fit fusiller.
    (E) Il lui tira l'oreille.

99. Quels furent les sentiments du soldat à la vue de Bonaparte?
    (A) Il eut peur.
    (B) Il le remercia.
    (C) Il garda le silence.
    (D) Il perdit connaissance.
    (E) Il fut content.

100. Quel jugement le général a-t-il prononcé contre le coupable?
    (A) Il lui parla avec brutalité.
    (B) Il le punit sévèrement.
    (C) Il lui conseilla de se coucher à l'heure.
    (D) Il lui retira son grade.
    (E) Il le traita avec bonté.

**The French Achievement Test (Sample 7)
Is Now Over**

After One Hour, Stop All Work.

ANSWER KEY TO TEST 7

1.	C	26.	B	51.	E	76.	B
2.	A	27.	B	52.	D	77.	A
3.	C	28.	A	53.	B	78.	C
4.	D	29.	C	54.	E	79.	C
5.	B	30.	E	55.	E	80.	E
6.	E	31.	C	56.	C	81.	A
7.	D	32.	A	57.	A	82.	D
8.	C	33.	A	58.	A	83.	C
9.	E	34.	C	59.	E	84.	A
10.	C	35.	D	60.	E	85.	B
11.	B	36.	C	61.	D	86.	D
12.	D	37.	B	62.	E	87.	E
13.	A	38.	E	63.	B	88.	E
14.	D	39.	A	64.	A	89.	C
15.	C	40.	E	65.	D	90.	D
16.	E	41.	C	66.	C	91.	C
17.	C	42.	A	67.	D	92.	D
18.	C	43.	B	68.	D	93.	A
19.	E	44.	C	69.	B	94.	B
20.	C	45.	A	70.	C	95.	E
21.	C	46.	B	71.	D	96.	C
22.	C	47.	C	72.	C	97.	A
23.	E	48.	A	73.	E	98.	B
24.	D	49.	C	74.	A	99.	A
25.	D	50.	C	75.	E	100.	E

ANSWER SHEET TEST 8

1	A	B	C	D	E	26	A	B	C	D	E	51	A	B	C	D	E	76	A	B	C	D	E
2	A	B	C	D	E	27	A	B	C	D	E	52	A	B	C	D	E	77	A	B	C	D	E
3	A	B	C	D	E	28	A	B	C	D	E	53	A	B	C	D	E	78	A	B	C	D	E
4	A	B	C	D	E	29	A	B	C	D	E	54	A	B	C	D	E	79	A	B	C	D	E
5	A	B	C	D	E	30	A	B	C	D	E	55	A	B	C	D	E	80	A	B	C	D	E
6	A	B	C	D	E	31	A	B	C	D	E	56	A	B	C	D	E	81	A	B	C	D	E
7	A	B	C	D	E	32	A	B	C	D	E	57	A	B	C	D	E	82	A	B	C	D	E
8	A	B	C	D	E	33	A	B	C	D	E	58	A	B	C	D	E	83	A	B	C	D	E
9	A	B	C	D	E	34	A	B	C	D	E	59	A	B	C	D	E	84	A	B	C	D	E
10	A	B	C	D	E	35	A	B	C	D	E	60	A	B	C	D	E	85	A	B	C	D	E
11	A	B	C	D	E	36	A	B	C	D	E	61	A	B	C	D	E	86	A	B	C	D	E
12	A	B	C	D	E	37	A	B	C	D	E	62	A	B	C	D	E	87	A	B	C	D	E
13	A	B	C	D	E	38	A	B	C	D	E	63	A	B	C	D	E	88	A	B	C	D	E
14	A	B	C	D	E	39	A	B	C	D	E	64	A	B	C	D	E	89	A	B	C	D	E
15	A	B	C	D	E	40	A	B	C	D	E	65	A	B	C	D	E	90	A	B	C	D	E
16	A	B	C	D	E	41	A	B	C	D	E	66	A	B	C	D	E	91	A	B	C	D	E
17	A	B	C	D	E	42	A	B	C	D	E	67	A	B	C	D	E	92	A	B	C	D	E
18	A	B	C	D	E	43	A	B	C	D	E	68	A	B	C	D	E	93	A	B	C	D	E
19	A	B	C	D	E	44	A	B	C	D	E	69	A	B	C	D	E	94	A	B	C	D	E
20	A	B	C	D	E	45	A	B	C	D	E	70	A	B	C	D	E	95	A	B	C	D	E
21	A	B	C	D	E	46	A	B	C	D	E	71	A	B	C	D	E	96	A	B	C	D	E
22	A	B	C	D	E	47	A	B	C	D	E	72	A	B	C	D	E	97	A	B	C	D	E
23	A	B	C	D	E	48	A	B	C	D	E	73	A	B	C	D	E	98	A	B	C	D	E
24	A	B	C	D	E	49	A	B	C	D	E	74	A	B	C	D	E	99	A	B	C	D	E
25	A	B	C	D	E	50	A	B	C	D	E	75	A	B	C	D	E	100	A	B	C	D	E

French Achievement Test

Sample 8

Time: one hour

Questions 1 to 30

DIRECTIONS: In each question, a situation is first presented. Select from the five choices that choice which is the most appropriate response to the situation given.

1. Monsieur Dupont veut inviter son ami à venir dîner chez lui. Et il s'exprime ainsi:
   (A) Je vous attends ce soir à huit heures.
   (B) Je suis très fatigué; je me coucherai très tôt ce soir.
   (C) Ma femme et moi nous aimons la solitude.
   (D) Notre cuisinière est malade.
   (E) Je vais à Paris ce soir.

2. Vous venez d'apprendre qu'un de vos amis n'a plus le sou. Vous exprimez votre peine par ces paroles:
   (A) Cela lui apprendra à jeter de l'argent par la fenêtre.
   (B) Le pauvre homme! J'espère qu'il se refera une situation.
   (C) Je ne l'ai pas vu depuis cinq ans.
   (D) Quel veinard!
   (E) C'était à prevoir.

3. Un monsieur va au théâtre. En cours de route il s'aperçoit qu'il a oublié son porte-monnaie, et il se dit:
   (A) Je suis déjà en retard; je n'aurai pas le temps de retourner chez moi.
   (B) La vedette est une grande actrice.
   (C) Il y aura beaucoup de monde.
   (D) Je préfère m'asseoir au fond de la salle.
   (E) Ce que je vais m'amuser ce soir!

4. A l'élève qui est dans la lune le professeur dit:
   (A) Vous bavardez trop en classe.
   (B) Vous êtes le meilleur élève de la classe.
   (C) C'est la deuxième fois que vous arrivez en retard cette semaine.
   (D) Il ne faut plus raconter des histoires fausses.
   (E) Vous ne suivez pas ce que je dis.

5. Le guide fait visiter aux touristes le musée du Louvre et il dit:
   (A) Ce tableau est magnifique.
   (B) C'est la plus grande salle de spectacle de France.
   (C) Ne faites pas de bruit; les élèves sont en classe.
   (D) Le temps n'est pas beau; vous ne pouvez pas vous baigner ce matin.
   (E) L'express arrive dans une heure.

6. Je désire arriver à Paris le plus vite possible, en conséquence:
   (A) Je vais me reposer.
   (B) Je vais rendre visite à ma mère.
   (C) Je ferai l'impossible pour aller au cinéma ce soir.
   (D) J'irai en avion.
   (E) J'inviterai le capitaine de l'avion à dîner chez moi.

7. Le capitaine dont le bateau va couler
   (A) éclate de rire.
   (B) raconte des histoires de marin.
   (C) invite les passagers à jouer aux cartes.
   (D) s'exerce au tir.
   (E) recommande son âme à Dieu.

8. Apprenant qu'il vient d'être révoqué, l'employé dit:
   (A) Mon patron est satisfait de mon travail.
   (B) J'ai beaucoup de travail ce matin.
   (C) Cela arrive chaque vendredi.
   (D) Cela me permettra d'augmenter mon train de vie.
   (E) Me voilà dans de beaux draps!

9. Celui qui désire envoyer une lettre à un ami
   (A) prend l'autobus.
   (B) achète des timbres.
   (C) lit un roman.
   (D) écrit une poésie.
   (E) donne du café au facteur.

10. L'hiver est la saison la plus froide de l'année; on est obligé
   (A) d'aller à l'opéra.
   (B) de porter des vêtements chauds.
   (C) de se faire couper les cheveux
   (D) de rester tout le temps à la maison.
   (E) d'aller à la mer.

11. Au client qui se plaint du prix des marchandises le bon vendeur répond:
   (A) Si vous trouvez que nos marchandises sont trop chères, vous n'avez qu'à acheter ailleurs.
   (B) Vous avez raison; tous les clients se plaignent.
   (C) Nous ne vendons que des marchandises supérieures.
   (D) Personne ne veut les acheter à ce prix.
   (E) Décidez-vous vite; je n'ai pas de temps à perdre.

12. Monsieur Durand aime voyager en avion parce qu'
   (A) il est membre du club de bridge.
   (B) il désire acheter un complet neuf.
   (C) il est très content de recevoir la visite de son frère.
   (D) il aime marcher un peu après le dîner.
   (E) il n'aime pas voyager en bateau.

13. Une dame voyage en train. La fumée de la pipe de son voisin la gêne. Elle lui dit:
   (A) Ne pourriez vous aller dans le compartiment pour fumeurs?
   (B) Est-ce que vous allez à Paris?
   (C) Nous arriversons problablement en retard.
   (D) Je suis très content de vous avoir comme compagnon de route.
   (E) Il y a un courant d'air; je vous prie de fermer la fenêtre.

14. Un monsieur s'ennuie beaucoup au théâtre; il dit à sa femme:
    (A) J'aurais mieux fait de rester à la maison.
    (B) L'auteur est très célèbre.
    (C) Il fait trop froid dans la salle.
    (D) La pièce a été très applaudie.
    (E) J'ai une forte migraine.

15. Il neige beaucoup __________ .
    (A) en été
    (B) dans les tropiques
    (C) en hiver
    (D) le matin
    (E) en Afrique

16. Le boucher vend __________ .
    (A) de la viande
    (B) du pain
    (C) des plumes
    (D) des souliers
    (E) des chapeaux

17. Je suis heureux __________ vous voir.
    (A) à
    (B) de
    (C) en
    (D) dans
    (E) depuis

18. Les enfants sont __________ jouer.
    (A) avant de
    (B) à
    (C) en mouvement de
    (D) en
    (E) en train de

19. Je vous remercie ________ pour le service que vous allez me rendre.
(A) dans regret
(B) au retour
(C) sur avance
(D) en regret
(E) d'avance

20. Vous pouvez ________ dîner très bien à peu de frais.
(A) là
(B) en
(C) y
(D) dans
(E) en le

21. Nous sommes allés au marché aux fleurs, où nous avons acheté un bouquet ________ .
(A) de roses
(B) de tomates
(C) fraises
(D) d'herbes
(E) de poivre

22. Ce monsieur a bon caractère; il ________ très bien avec tout le monde.
(A) se bat
(B) fâche
(C) s'entend
(D) se dispute
(E) se tait

23. Paul apprend à ________ ; il espère faire bientôt ses débuts à l'opéra.
(A) conduire
(B) courir
(C) chanter
(D) patiner
(E) nager

24. Il fait trop chaud en ville en été; je vais chercher un peu __________ à la campagne.
    (A) de bruit
    (B) de silence
    (C) de fraîcheur
    (D) de solitude
    (E) de calme

25. On ne peut pas travailler tout le temps; tout le monde a besoin de __________ .
    (A) nourriture
    (B) médicament
    (C) soleil
    (D) repos
    (E) d'air pur

26. J'aime prendre mes repas __________ .
    (A) au restaurant
    (B) au musée
    (C) à la mairie
    (D) à la mer
    (E) dans la rue

27. Henri n'est pas très intelligent; il étudie avec beaucoup __________ .
    (A) de difficulté
    (B) de facilité
    (C) d'ardeur
    (D) de livres
    (E) camarades

28. Nous nous dépêchons __________ où nous attendent nos parents.
    (A) de rentrer à la maison
    (B) d'aller à l'école
    (C) d'aller au spectacle
    (D) d'aller au stade
    (E) à la gare

29. La maison a été ________ par l'incendie.
   (A) réparée
   (B) vendue
   (C) consumée
   (D) construite
   (E) embellie

30. Mettons-nous à table; le dîner ________ .
   (A) est commencé
   (B) est brûlé
   (C) est chargé
   (D) est réduit
   (E) est servi

Questions 31 to 55

DIRECTIONS: Each sentence or brief paragraph contains blank spaces. Under each blank space, there are five choices. Select the choice which fits in correctly with the context of the sentence or paragraph.

Je ________ bien ________ vous allez ________ dire.

31.		32.		33.	
(A)	devines	(A)	ce quoi	(A)	me
(B)	devinait	(B)	cette que	(B)	moi
(C)	deviné	(C)	celui	(C)	m'
(D)	devine	(D)	ce que	(D)	mien
(E)	devina	(E)	ce	(E)	je

________ vous est ________ facile

34.		35.	
(A)	elle ne	(A)	pas
(B)	il ne	(B)	rien
(C)	elles ne	(C)	ne
(D)	ils ne	(D)	ne ni
(E)	il ni	(E)	pas ne

de suivre __________ conseils. En effet vous vous

36. (A) miens
    (B) mon
    (C) ma
    (D) le mien
    (E) mes

__________ pour __________ à votre bureau

37. (A) lève
    (B) lèves
    (C) levé
    (D) levez
    (E) levons

38. (A) aller
    (B) allé
    (C) allés
    (D) irai
    (E) irez

où vous __________ assis __________ la journée.

39. (A) resté
    (B) resterai
    (C) restés
    (D) restez
    (E) resta

40. (A) toux
    (B) tous
    (C) tout
    (D) toutes
    (E) toute

Son interlocuteur, le frère de Madame Durant, __________ dans une petite

41. (A) trouve
    (B) se trouve
    (C) se trouvas
    (D) se trouvais
    (E) se trouvent

ville de France. Cela ne __________ plaît pas de __________

42. (A) le
    (B) lui
    (C) les
    (D) l'
    (E) l'en

43. (A) retournant
    (B) retourner
    (C) retourné
    (D) retournai
    (E) retournez

__________ maison. Mais __________ faire?

44. (A) à la
(B) au
(C) à le
(D) chez
(E) chez la

45. (A) quoi
(B) que
(C) qui
(D) quand
(E) en quoi

Les lettres __________ a __________ de ses

46. (A) qu'il
(B) qu'ils
(C) que lui
(D) que eux
(E) qu'elles

47. (A) reçu
(B) reçus
(C) reçues
(D) reçue
(E) reçux

parents, sont très sévères. Je connais __________ idées;

48. (A) ses
(B) sa
(C) son
(D) siens
(E) siennes

elles sont __________ aux miennes.

49. (A) opposé
(B) opposée
(C) opposées
(D) opposés
(E) opposez

Les principes sur __________ il se base, ne sont pas

50. (A) qui
(B) laquelle
(C) dont
(D) lesquelles
(E) lesquels

des __________ recommandables. Je doute, cependant, qu'il ______

51. (A) mieux
(B) pas
(C) plus
(D) point
(E) ne pas

52. (A) pu
(B) peux
(C) peut
(D) peuvent
(E) puisse

__________ les avantages __________

53. (A) tirés
(B) à tirer
(C) tirant
(D) tiré
(E) tirer

54. (A) escomptées
(B) escompté
(C) escomptés
(D) escomptée
(E) escompter

Il est à espérer qu'il adopte __________ idées plus saines.

55. (A) de la
(B) du
(C) de les
(D) unes
(E) des

Questions 56 to 75

DIRECTIONS: Each question consists of a sentence, part of which is underlined. From the five choices, select the one which, grammatically, could not properly replace the underlined word or words in the sentence.

56. Pourquoi avez-vous acheté des champignons?
(A) De qui
(B) Dans quel marché
(C) Quand
(D) Lequel
(E) Où

57. Les enfants qu'il a vus, ne sont pas encore arrivés.
(A) Les élèves
(B) Les professeurs
(C) Les vedettes
(D) Les musiciens
(E) Les marins

58. Ses parents ne le voient pas depuis plusieurs mois.
(A) Ses tantes
(B) Les gendarmes
(C) Ses frères
(D) Tout
(E) Les oncles

59. Il prend l'avion pour aller à Beyrouth.
(A) à Paris
(B) à Londres
(C) à Caire
(D) à Berlin
(E) à Rome

60. Il l'a battu brutalement.
(A) On
(B) Le voyou
(C) Personne
(D) L'ennemi
(E) La foule

61. On ne prendra pas le train ce soir.
(A) Le groupe
(B) personne
(C) L'agent
(D) L'écrivain
(E) L'équipe

62. Je doute qu'il puisse gagner.
   (A) chante
   (B) parte
   (C) le croit
   (D) le fasse
   (E) en tienne compte

63. J'irai voir le voisin qui vient de tomber malade.
   (A) dès qu'il sera revenu
   (B) hier
   (C) pour lui apporter des fruits
   (D) dont l'enfant est tombé malade
   (E) chaque dimanche

64. On a pris la chaise sur laquelle j'étais assis.
   (A) dont il s'est servi
   (B) pour faire de la place
   (C) sur qui il avait laissé son chapeau
   (D) du jardin
   (E) dont on a réparé le dossier

65. T'es-tu souvenu de moi?
   (A) débarassé
   (B) éloigné
   (C) moqué
   (D) ri
   (E) identifié

66. Qu'il vienne, si cela lui plaît.
   (A) Il peut s'en aller
   (B) Il lui est possible de chanter
   (C) Il serait parti
   (D) Il viendra
   (E) Qu'il s'enaille

67. Lequel prenez-vous?
   (A) Qui
   (B) Lesquels
   (C) Laquelle
   (D) Que
   (E) Quoi

68. Ceci ne présage rien de bon.
   (A) Je n'y vois
   (B) On ne peut en dire
   (C) On vous montrera
   (D) Il n'en sortira
   (E) Il ne promet

69. Il a apporté du vin.
   (A) du lait
   (B) de papier
   (C) de l'argent
   (D) sa plume
   (E) sa valise

70. Je ne suis pas sûr que ce soit vrai.
   (A) qu'il l'achète
   (B) qu'on le mette en prison
   (C) qu'il dit la vérité
   (D) qu'il sache ce qu'il dit
   (E) qu'il viendra

71. Nous ne voulons pas partir en ce moment.
   (A) qu'il parte en ce moment
   (B) le lui donner
   (C) rien
   (D) de ce livre
   (E) en dire plus

72. On lui a envoyé de l'argent; il ne l'a pas reçu.
   (A) On lui a envoyé une bourse
   (B) On lui a envoyé un oiseau
   (C) On lui a envoyé un chapeau
   (D) On lui a envoyé le chèque
   (E) On lui a envoyé un câble

73. Etes-vous le nouveau facteur? Oui, je suis le nouveau facteur.
   (A) j'en suis
   (B) depuis un mois
   (C) je le suis
   (D) j'apporte le courrier deux fois par semaine
   (E) pour vous servir, Monsieur

74. Vous viendrez demain.
   (A) Je viens
   (B) Je viendrai
   (C) Je venais
   (D) Je m'en irai
   (E) Tout sera pour le mieux

75. Préparez vos devoirs.
   (A) cahiers
   (B) manteaux
   (C) examen
   (D) outils
   (E) fusils

Questions 76 to 100

DIRECTIONS: Each passage is followed by several questions. For each question, select the word or expression which most satisfactorily answers the question or completes the statement.

Habitant dans un tout autre quartier et assez loin du lycée, je devais me séparer de Sara dès la sortie; d'ordinaire je m'en allais seule et très vite. Ma mère, qui voulait me marquer sa confiance, ne venait pas me chercher, mais elle m'avait fait promettre de rentrer toujours directement et de ne m'attarder point à causer avec les autres élèves. Ce jour-là, je courus durant la moitié du trajet, tant j'étais pressée de lui faire part de la proposition de Sara. Je n'étais pas du tout sûre que ma mère acceptât, car, en dehors du lycée, elle ne me laissait que rarement sortir seule.

76. Où habitait cette fillette?
(A) tout près de l'école
(B) dans un arrondissement éloigné
(C) chez une amie
(D) dans une autre ville
(E) à la campagne

77. Comment la mère montrait-elle qu-elle se fiait à sa fille?
(A) en restant à la maison
(B) en l'accompagnant à l'école
(C) en lui faisant des promesses
(D) en lui permettant de rentrer à toute heure
(E) en lui donnant beaucoup d'argent

78. La mère de cette petite fille lui demandait spécialement
(A) de s'isoler des autres
(B) de toujours rentrer avec une camarade
(C) de faire une promenade avant de rentrer
(D) de ne jamais se presser
(E) de parler peu à ses camarades après l'école

79. Pourquoi se dépêchait-elle ce jour-là?
(A) pour cacher son retard
(B) pour jouer avec d'autres amies
(C) pour dire quelque chose à sa mère
(D) parce qu'elle avait peur
(E) pour avoir le temps de faire ses devoirs

80. La petite fille doutait de recevoir la permission de sa mère
(A) parce qu'elle ne restait pas souvent chez elle
(B) parce qu'elle n'avait pas été invitée
(C) parce qu'elle n'avait pas d'auto
(D) parce qu'il n'était pas question d'école
(E) parce qu'elle devait sortir seule

Contrairement au cinéma, qui n'est en aucune façon un art du spectacle, les vrais spectacles, tels que le cirque et le théâtre, ne se conçoivent pas sans public. Rien de plus pénible qu'une salle d'opéra ou de comédie dont on voit, en attendant le lever du rideau, les fauteuils inoccupés. On craint que les acteurs ne se découragent et ne jouent mal: Les acteurs sont portés par le public; il y a communication constante entre la salle et la scène. Le bon acteur "tient" son public tout comme un professeur tient sa classe. Les spectateurs jouent peut-être le rôle le plus important de la pièce.

Du reste, le public se dispose à jouer son rôle. Avant le lever du rideau, les spectateurs e'étudient des galeries à l'orchestre. Et les entr'actes ensuite serviront à une sorte de réveil de conscience et de respiration. Le public sent le besoin de se reposer un peu, comme les acteurs eux-mêmes. On peut juger de l'effet d'une pièce par l'attitude du public pendant l'entr'acte: ou bien on entend une sorte de rumeur heureuse dans les couloirs, ou bien on remarque un sombre silence.

81. Pour avoir une véritable représentation théâtrale il faut avoir
   (A) des places libres
   (B) un grand nombre d'auditeurs
   (C) des personnes qui placent les spectateurs
   (D) très peu de communication entre la salle et la scène
   (E) des acteurs avec une forte voix

82. Quel effet une salle presque vide produit-elle d'ordinaire sur les acteurs?
   (A) Elle diminue leur mora!
   (B) Elle les met plus à l'aise.
   (C) Elle produit un effet comique.
   (D) Elle les force à porter des lunettes.
   (E) Ils jouent mieux.

83. Quelle fonction essentielle le public remplit-il?
   (A) Il doit étudier la pièce.
   (B) Il oblige les acteurs à faire la classe.
   (C) Il pose des questions aux artistes.
   (D) Il permet un contact régulier avec les acteurs.
   (E) Il apprend des notions d'art dramatique.

84. Comment les spectateurs se préparent-ils à voir la pièce?
(A) en examinant les tableaux
(B) en écoutant la musique
(C) en regardant autour d'eux
(D) en critiquant les artistes
(E) en étudiant la pièce par coeur

5. Qu'est-ce qui indique le résultat d'une pièce?
(A) les remarques des juges
(B) le sourire ou l'absence de sourire des spectateurs
(C) les gestes de l'auditoire
(D) la fatigue des participants
(E) la présence ou l'absence de commentaires

La jeunesse française, trop longtemps mystifiée par Pierre Corneille, va enfin apprendre au cinéma la vérité à propos du Cid. Mais il faut dire sans ironie que le Cid du film est sans doute plus près de la vérité historique que celui de la grande tragédie classique.

Cette vérité est un peu rude car, dans l'Espagne du onzième siècle divisée entre rois chrétiens et rois musulmans, Rodrigue fut d'abord chef de bande armée. Les Arabes le reconnurent pour un seigneur et le surnommèrent "Sidi."

En désaccord avec le roi Alphonse VI au sujet de ses expéditions, il passa au service de l'émir musulman.

Il fallait bien vivre! Sidi Rodrigue acquit une grande réputation en rasant des cités entières et tuant autant de chrétiens que de musulmans. Il bâtit des églises pour expier ses péchés et pilla et rançonna pour défrayer ses dépenses.

On lui imposa d'épouser Chimène, la fille d'une de ses victimes. Ce n'était pas une affaire d'amour, mais ils furent heureux et eurent deux filles: Elvire et Sol.

86. Les étudiants pourront connaître le vrai Cid par
(A) la pièce du même nom
(B) un film récent
(C) leurs manuels scolaires
(D) des romans mystérieux
(E) par une etude minutieuse de la pièce

87. La révélation que le film a faite c'est que le Cid
    (A) était un bandit
    (B) connaissait la musique
    (C) était un personnage imaginaire
    (D) était un homme distingué
    (E) était un roi arabe

88. Comment le Cid a-t-il réussi à attirer l'attention du public?
    (A) en provoquant des querelles religieuses
    (B) en combattant les injustices
    (C) en demeurant fidèle à ses souverains
    (D) en répandant partout la terreur
    (E) par son nom de "Sidi"

89. De quoi le Cid vivait-il?
    (A) des faveurs de son monarque
    (B) des revenus de ses vols
    (C) de son talent d'acteur
    (D) des bénéfices des églises
    (E) en écrivant ses memoires

90. Rodrigue épousa Chimène
    (A) par intérêt
    (B) par amour
    (C) par vanité
    (D) par gratitude
    (E) de force

Quelques enfants du voisinage venaient dans le jardin jouer avec Camille, une petite fille sourde. C'était une chose étrange que la manière dont elle les regardait parler. Ces enfants, à peu près du même âge qu'elle, essayaient, bien entendu, de répéter des mots, et tâchaient, en ouvrant les lèvres, d'exercer leur intelligence au moyen d'un bruit qui ne semblait qu'un mouvement à la pauvre fille. Souvent, pour prouver qu'elle avait compris, elle étendait les mains vers ses petites compagnes qui, de leur côté, se retiraient effrayées devant cette autre expression de leur propre pensée.

91. Les jeunes qui s'amusaient chez Camille étaient
(A) des enfants d'une autre ville
(B) les enfants du quartier
(C) les enfants du jardinier
(D) des étrangers
(E) des élèves de l'école

92. Lorsqu'on parlait à Camille, elle
(A) répondait poliment
(B) était mal à l'aise
(C) fixait les yeux sur ses interlocuteurs
(D) articulait des sons
(E) les comprenait

93. Les enfants faisaient tant d'efforts pour se faire comprendre de la petite parce que la petite Camille
(A) restait indifférente
(B) ne voyait pas ces camarades
(C) n'était pas très intelligente
(D) ne pouvait pas entendre les mots
(E) était orpheline

94. Camille montrait à ses petites amies qu'elle les comprenait en
(A) allongeant les bras
(B) allant vers eux
(C) leur souriant
(D) inclinant la tête
(E) écrivant sur du papier

95. Qu'est-ce qui faisait fuir les enfants?
(A) Ils pensaient que Camille était fatiguée.
(B) Ils étaient fatigués de jouer.
(C) Ils n'aimaient pas son langage.
(D) Ils étaient blessés.
(E) Ils avaient peur d'elle.

Un mot de Mme de Montespan fut cause de la guerre de Hollande. Les Hollandais offraient toutes sortes de satisfactions sur les plaintes du Roi, et M. de Colbert dit: "Sire, vous ne pourriez en exiger davantage, si vous les aviez battus." Le Roi avait promis de voir leur ambassadeur. Le Roi revenant de chasse, dit à Mme de Montespan qu'il avait fait une belle chasse.

"Ne vous lasserez-vous point, dit-elle, de suivre des bêtes, pendant que les autres gagnent des batailles?" Le Roi, là-dessus, résolut la guerre.

96. Qu'est-ce qui força le Roi à prendre une décision?
    (A) l'ennui causé par la chasse
    (B) les offres peu avantageuses de la Hollande
    (C) le mécontentement des Hollandais
    (D) le besoin de bêtes à chasser
    (E) les observations d'une personne influente

97. Colbert pensait que les offres des Hollandais étaient
    (A) absurdes
    (B) intéressantes
    (C) provocatrices
    (D) inacceptables
    (E) peu satisfaisantes

98. De quoi le Roi était-il si content ce jour-là?
    (A) de la décision de ses courtisans
    (B) de la beauté de sa dame préférée
    (C) des promesses de son représentant aux étrangers
    (D) d'avoir tué plusieurs animaux
    (E) d'avoir fait un bon repas

99. Mme de Montespan dit au Roi qu'il
    (A) devrait retourner à ses plaisirs sportifs
    (B) devrait se reposer
    (C) employait mal son temps
    (D) était très sage
    (E) devait mieux chasser la prochaine fois

100. Qu'est-ce que le Roi décida de faire?
    (A) de laisser faire les Hollandais
    (B) de rester tranquille
    (C) de garder le silence
    (D) d'essayer de remporter des victoires
    (E) faire du commerce avec les Hollandais

The French Achievement Test (Sample 8) Is Over.

ANSWER KEY TO TEST 8

1.	A	26.	A	51.	C	76.	B
2.	B	27.	A	52.	E	77.	A
3.	A	28.	A	53.	E	78.	E
4.	E	29.	C	54.	C	79.	C
5.	A	30.	E	55.	E	80.	D
6.	D	31.	D	56.	D	81.	B
7.	E	32.	D	57.	C	82.	A
8.	E	33.	A	58.	D	83.	D
9.	B	34.	B	59.	C	84.	C
10.	B	35.	A	60.	C	85.	E
11.	C	36.	E	61.	B	86.	B
12.	E	37.	D	62.	C	87.	A
13.	A	38.	A	63.	B	88.	D
14.	A	39.	D	64.	C	89.	B
15.	C	40.	E	65.	E	90.	E
16.	A	41.	B	66.	C	91.	B
17.	B	42.	B	67.	E	92.	C
18.	E	43.	B	68.	C	93.	D
19.	E	44.	A	69.	B	94.	A
20.	C	45.	B	70.	C	95.	E
21.	A	46.	A	71.	C	96.	E
22.	C	47.	C	72.	A	97.	B
23.	C	48.	A	73.	A	98.	D
24.	C	49.	C	74.	C	99.	C
25.	D	50.	E	75.	C	100.	D

ANSWER SHEET TEST 9

1	A	B	C	D	E	26	A	B	C	D	E	51	A	B	C	D	E	76	A	B	C	D	E
2	A	B	C	D	E	27	A	B	C	D	E	52	A	B	C	D	E	77	A	B	C	D	E
3	A	B	C	D	E	28	A	B	C	D	E	53	A	B	C	D	E	78	A	B	C	D	E
4	A	B	C	D	E	29	A	B	C	D	E	54	A	B	C	D	E	79	A	B	C	D	E
5	A	B	C	D	E	30	A	B	C	D	E	55	A	B	C	D	E	80	A	B	C	D	E
6	A	B	C	D	E	31	A	B	C	D	E	56	A	B	C	D	E	81	A	B	C	D	E
7	A	B	C	D	E	32	A	B	C	D	E	57	A	B	C	D	E	82	A	B	C	D	E
8	A	B	C	D	E	33	A	B	C	D	E	58	A	B	C	D	E	83	A	B	C	D	E
9	A	B	C	D	E	34	A	B	C	D	E	59	A	B	C	D	E	84	A	B	C	D	E
10	A	B	C	D	E	35	A	B	C	D	E	60	A	B	C	D	E	85	A	B	C	D	E
11	A	B	C	D	E	36	A	B	C	D	E	61	A	B	C	D	E	86	A	B	C	D	E
12	A	B	C	D	E	37	A	B	C	D	E	62	A	B	C	D	E	87	A	B	C	D	E
13	A	B	C	D	E	38	A	B	C	D	E	63	A	B	C	D	E	88	A	B	C	D	E
14	A	B	C	D	E	39	A	B	C	D	E	64	A	B	C	D	E	89	A	B	C	D	E
15	A	B	C	D	E	40	A	B	C	D	E	65	A	B	C	D	E	90	A	B	C	D	E
16	A	B	C	D	E	41	A	B	C	D	E	66	A	B	C	D	E	91	A	B	C	D	E
17	A	B	C	D	E	42	A	B	C	D	E	67	A	B	C	D	E	92	A	B	C	D	E
18	A	B	C	D	E	43	A	B	C	D	E	68	A	B	C	D	E	93	A	B	C	D	E
19	A	B	C	D	E	44	A	B	C	D	E	69	A	B	C	D	E	94	A	B	C	D	E
20	A	B	C	D	E	45	A	B	C	D	E	70	A	B	C	D	E	95	A	B	C	D	E
21	A	B	C	D	E	46	A	B	C	D	E	71	A	B	C	D	E	96	A	B	C	D	E
22	A	B	C	D	E	47	A	B	C	D	E	72	A	B	C	D	E	97	A	B	C	D	E
23	A	B	C	D	E	48	A	B	C	D	E	73	A	B	C	D	E	98	A	B	C	D	E
24	A	B	C	D	E	49	A	B	C	D	E	74	A	B	C	D	E	99	A	B	C	D	E
25	A	B	C	D	E	50	A	B	C	D	E	75	A	B	C	D	E	100	A	B	C	D	E

French Achievement Test

Sample 9

Time: one hour

Questions 1 to 30

DIRECTIONS: In each question, a situation is first presented. Select from the five choices that choice which is the most appropriate response to the situation given.

1. Un monsieur fait une chute dans la rue et est secouru par un passant. Après s'être relevé il remercie en ses termes:
   (A) Vous en faites une tête.
   (B) Occupez-vous de ce qui vous regarde.
   (C) Ne restez pas là à me regarder comme une bête curieuse.
   (D) Vous êtes un grossier perononnage.
   (E) Je vous en suis fort reconnaissant.

2. Le mari bien élévé dit à sa femme qui a brûlé le rôti:
   (A) Tu n'as pas honte d'avoir brûlé cette viande qui a coûté si cher.
   (B) Ne t'en fais pas; cela arrive à tout le monde.
   (C) Ma maman est meilleure cuisinière que toi.
   (D) Tu ne fais attention à ce que tu fais.
   (E) Ta sottise n'a pas de borne.

3. Madame Darbouse aime bien sa maman. Celle-ci vient la visiter. Madame Darbouse dit à sa mère:
   (A) Je me demande pourquoi tu es si tôt.
   (B) Quel plaisir de te voir, maman!
   (C) Le facteur n'est pas encore arrivé.
   (D) Tu aurais bien fait de rester chez toi.
   (E) Ce n'est pas l'heure des visites.

4. Pierre va manger au restaurant; il trouve des cheveux dans la soupe. Il dit au garçon;
   (A) Vous avez une belle chevelure.
   (B) On est réellement bien servi ici; je vous donnerai un pourboire.
   (C) Ce restaurant est, il n'y pas de doute, le meilleur de la ville.
   (D) Je préfère les blondes.
   (E) Il y a un manque de propreté dans ce restaurant.

5. L'équipe de Jean a gagné le match de foot-ball. Il dit à ses camarades de jeu:
   (A) J'espère que nous gagnerons le championnat.
   (B) Nous avons fort mal joué
   (C) Je suis complètement découragé.
   (D) Nous devons avoir un autre entraîneur.
   (E) J'espère que cela ne se répétera plus.

6. La ville a été détruite par un tremblement de terre. Le maire s'adresse ainsi à ses administrés:
   (A) Mes patients efforts ont été la cause de ce succès.
   (B) J'espère que nous ferons mieux la prochaine fois.
   (C) Nous devons faire des plans pour rebatîr la ville.
   (D) L'ouragan a causé de grands dégâts.
   (E) Nous devons célébrer cet heureux événement.

7. Pierre revient de la plage où il s'est bien amusé. A son retour à la maison, il dit à son père:
   (A) Cela a été une journée magnifique.
   (B) Je ne me suis jamais aussi ennuyé de ma vie.
   (C) Je ne retournerai jamais plus à la mer.
   (D) J'aurais dû rester à la maison.
   (E) On ne m'y reprendra plus.

8. L'agent de police dit à l'automobiliste qui conduit trop vite:
   (A) Vous n'avez pas le droit de dépasser cinquante à l'heure.
   (B) Vous conduisez trop lentement.
   (C) Vous devez acheter une voiture neuve.
   (D) Il a beaucoup neigé hier soir.
   (E) Vous conduisez parfaitement.

9. Jules voyage par chemin de fer. Il est déjà en retard de dix minutes. Il s'en plaint à son voisin:
   (A) Le voyage en train est très fatigant.
   (B) Le chemin de fer est le moyen de transport le plus rapide.
   (C) Je vais rater mon rendez-vous.
   (D) Ce train est très rapide.
   (E) Je dois acheter une autre montre.

10. Pierre va au théâtre. La pièce est fort mauvaise. Pierre exprime ainsi son mécontentement:
   (A) Le public a beaucoup applaudi.
   (B) L'acoustique est tres mauvaise dans cette salle.
   (C) Je n'ai jamais vu d'aussi bons acteurs.
   (D) L'auteur aurait dû assister au spectacle.
   (E) J'ai perdu ma soirée.

11. On est en hiver; il fait froid dans le salon. Jeanne dit à son mari:
   (A) La température est très agréable.
   (B) On se croirait en été.
   (C) Il faut chauffer un peu plus la maison.
   (D) Je vais prendre un bain.
   (E) Ouvre la fenêtre.

12. La petite Marie n'a pas bien su sa leçon. Son professeur lui dit:
   (A) Tu es la meilleure élève de la classe.
   (B) Il faut toujours avoir des livres neufs.
   (C) La prochaine fois, tu seras punie.
   (D) Il faut jouer plus souvent.
   (E) Il faut arriver à l'heure à l'école.

13. Le petit garçon qui a faim dit à sa maman:
(A) Je n'ai pas envie de manger.
(B) J'ai l'estomac rempli.
(C) Donne-moi une tartine.
(D) Maman! Où sont mes jouets?
(E) Papa n'est pas encore rentré.

14. Quant au monsieur très bavard qui ne donne pas aux autres l'occasion de placer un mot, on dit:
(A) Il n'y a rien à faire; on doit le laisser parler.
(B) C'est un monsieur très taciturne.
(C) Sa conversation est très intéressante.
(D) C'est un monsieur très poli.
(E) Je vais l'inviter à passer la soirée chez moi.

15. J'ai très mal dormi hier soir; je pense que:
(A) Je vais passer une mauvaise journée.
(B) Je suis dispos ce matin.
(C) j'ai dormi comme un ange.
(D) j'ai passé une bonne nuit.
(E) ma chambre est bien aérée.

16. Le ciel est couvert de nuages, en conséquence:
(A) il y a beaucoup de vent.
(B) il fait un peu sombre.
(C) tout le monde reste chez soi.
(D) il fait très clair.
(E) les gamins jouent à la balle dans la rue.

17. L'élève qui a échoué aux examens se dit:
(A) J'aurais dû étudier un peu plus.
(B) Les examens n'étaient pas difficiles.
(C) Cela prouve que je suis très intelligent.
(D) On voit bien que j'ai eu de bons professeurs.
(E) Mes efforts ont été couronnés de succès.

18. Vous allez chez le coiffeur; il vous demande comment il doit couper vos cheveux. Vous lui répondez:
    (A) très courts.
    (B) Je n'ai pas la migraine.
    (C) Je ne vois pas pourquoi cela vous intéresse.
    (D) J'en ai assez de vos questions.
    (E) Vous auriez dû finir depuis longtemps.

19. Le patron est furieux contre l'ouvrier qui est arrivé en retard et il lui dit:
    (A) Vous avez oublié vos utils à la maison.
    (B) J'ai toujours dit que vous étiez un ouvrier exemplaire.
    (C) La prochaine fois, je vous révoque.
    (D) Lavez-vous les mains avant de commencer à travailler.
    (E) C'est un plaisir de vous voir.

20. Le vin est une boisson agréable.
    (A) C'est formidable!
    (B) C'est mauvais!
    (C) C'est grave!
    (D) C'est important!
    (E) C'est dommage!

21. J'irai __________ le train demain à huit heures.
    (A) emprunter
    (B) donner
    (C) résumer
    (D) attirer
    (E) prendre

22. Cette voiture fait du cent __________ .
    (A) dollars
    (B) à l'heure
    (C) d'essence
    (D) kilomètres
    (E) par mois

23. Je vais __________ cet ouvrage chez le libraire.
(A) prendre
(B) acheter
(C) imprimer
(D) corriger
(E) éditer

24. Le soleil s'est __________ très tôt ce matin.
(A) suspendu
(B) retourné
(C) étiré
(D) levé
(E) retiré

25. C'est un brave soldat; il s'est battu avec __________ .
(A) un bel uniforme
(B) des armes modernes
(C) courage
(D) peur
(E) son ami

26. Dégouté de tout, il avait __________ à son héritage.
(A) abandonné
(B) renoncé
(C) laissé
(D) dénoncé
(E) donné

27. Son nom est __________ à la postérité.
(A) retourné
(B) passé
(C) poussé
(D) nié
(E) résolu

28. J'ai écouté hier soir __________ d'une station de radio.
(A) les émissions
(B) les paroles
(C) les éparpillements
(D) les bruits
(E) les réceptions

29. Il vient d'écrire un ________ important sur la chimie.
(A) roman
(B) conte
(C) ouvrage
(D) récit
(E) film

30. Ce livre a été ________ du français à l'anglais.
(A) traduit
(B) translaté
(C) transporté
(D) transféré
(E) transcrit

Questions 31 to 55

DIRECTIONS: Each sentence or paragraph contains blank spaces. Under each blank space there are five choices. Select that choice which fits in correctly with the context of the sentence or paragraph. A blank space for choice (A) means that there is no insertion for this choice.

Le voyageur ________ arrive ________ Espagne est ________

31.		32.		33.	
(A)	dont	(A)	en	(A)	frappée
(B)	qui	(B)	dans	(B)	frappé
(C)	quoi	(C)	à	(C)	frappées
(D)	lequel	(D)	dans l'	(D)	frappés
(E)	quel	(E)	au	(E)	frappez

par ________ division ________ pays en différentes zones

34.		35.	
(A)	le	(A)	du
(B)	de la	(B)	en
(C)	la	(C)	ce
(D)	les	(D)	de le
(E)	de	(E)	De cet

géographiques. __________ rivieres nombreuses __________

36. (A) Des
(B) De les
(C) Les
(D) La
(E) Le

37. (A) qui
(B) la
(C) se
(D) lui
(E) le

sillonent et servent à __________ les régions. Les différences d'une

38. (A) couvrir
(B) délimiter
(C) passer
(D) contourner
(E) déssécher

région __________ sont si marquées __________ pourrait

39. (A) à cette
(B) aux autres
(C) à les autres
(D) à une
(E) à une autre

40. (A) qu'eux
(B) qu'un
(C) que lequel
(D) que lui
(E) qu'on

dire que __________ Espagne est faite de plusieurs pays confondus

41. (A) ______
(B) en
(C) l'
(D) les
(E) le

en un seul. Si on __________ voyage à l'intérieur, on rencontre

42. (A) ______
(B) se
(C) s'en
(D) s'y
(E) en

le plateau castillan qui ________ trouve à une altitude très

43. (A) _____
    (B) se
    (C) le
    (D) on
    (E) s'y

élévée et ________ le climat est très sec. Le sol sur ________ on se déplace

44. (A) de qui
    (B) du quel
    (C) duquel
    (D) dont
    (E) des qui

45. (A) lequel
    (B) qui
    (C) que
    (D) quoi
    (E) laquelle

est couleur ________ cuivre. Qu'on ________

46. (A) du
    (B) de
    (C) de le
    (D) au
    (E) des

47. (A) veut
    (B) veux
    (C) veuille
    (D) Veule
    (E) Veuillez

l'admettre ou non, ce spectacle ne manque pas ________ .

48. (A) d'être impressionnant
    (B) d'être impressioné
    (C) d'avoir impressionés
    (D) qu'on impressione
    (E) d'être impressionnants

Il est rare que le spectateur ne se ________ pas compte

49. (A) rend
    (B) rende
    (C) rendent
    (D) rendé
    (E) rendés

immédiatement __________ l'influence de la terre d'Espagne

50. (A) sur
(B) de
(C) à
(D) d'
(E) en

sur les hommes __________ l'habitent. Un froid __________

51. (A) dont
(B) lesquels
(C) qui
(D) que
(E) qu'

52. (A) rigoureuse
(B) rigoureuses
(C) rigorée
(D) rigoureux
(E) rigoriste

sévit __________ hiver et l'été __________ par une chaleur _____.

53. (A) dans l'
(B) en l'hiver
(C) sur l'
(D) en
(E) à l'

54. (A) est caractérisé
(B) est caractérisée
(C) a caractérisée
(D) caractérisant
(E) ayant caractérisé

55. (A) étouffable
(B) étouffante
(C) étouffée
(D) étouffant
(E) étouffent

Questions 56 to 75

DIRECTIONS: Each question consists of a sentence, part of which is underlined. From the five choices, select the one which, grammatically, could not properly replace the underlined word or words in the sentence.

56. La terre est ronde comme une boule.
    (A) ; elle ressemble à
    (B) ; elle a l'air d'
    (C) ; mais elle n'est pas
    (D) comment
    (E) et a la forme d'

57. Rien ne sert de courir.
    (A) Il est parfois nécessaire
    (B) Il a peur
    (C) Je l'ai vu
    (D) Il est impossible
    (E) Ce n'est pas la peine

58. Je ne sais comment vous remercier.
    (A) Il ne manquera pas de
    (B) Je ne peux le
    (C) Il n'osera pas
    (D) Je me fais un devoir de
    (E) Je penserai à

59. Il n'y a rien à faire.
    (A) Ceci n'est pas
    (B) Il a beaucoup
    (C) Ce n'est pas bien
    (D) C'est une chose qu'il réussira
    (E) C'est une route qu'on doit penser

60. Vous viendrez quand je vous le dirai.
    (A) Vous irez là où
    (B) Si vous me le demandez,
    (C) Demain
    (D) Si vous m'aviez questionné
    (E) Très bien,

61. Je ne pense pas qu'il le soit.
(A) Je doute
(B) Je ne suis pas sûr
(C) Je ne crois pas
(D) On n'est pas certain
(E) Il est certain

62. Il a parlé hier.
(A) Il a chanté
(B) Il a couru
(C) Il est passé
(D) Il s'est battu
(E) Il viendra

63. Le message qu'il a reçu, a été étudié avec soin.
(A) Le tissu
(B) Le fusil
(C) Le tapis
(D) Les échantillons
(E) Le collier

64. Les pommes ont été récoltées.
(A) Les fraises
(B) Les poires
(C) Les raisins
(D) Les oranges
(E) Les bananes

65. On lui a demandé de démissionner.
(A) Il n'est pas question pour lui
(B) Il doit
(C) Il se doit à lui-même
(D) Il a refusé
(E) Il n'a pas envie

66. Il faut avoir de l'argent pour voyager.
(A) Il a fait l'impossible
(B) Les avions à réaction conviennent
(C) Que faire
(D) Il a vendu sa maison
(E) Il n'a pas le désir

67. Pourquoi vous en allez-vous?
    (A) Où
    (B) Avec qui
    (C) Quel jour
    (D) Par quel bateau
    (E) Avec lequel

68. Nous irons chercher nos robes vertes.
    (A) peignes
    (B) baguettes
    (C) boîtes
    (D) assiettes
    (E) serviettes

69. Les enfants jouent en ce moment.
    (A) Les élèves
    (B) La plupart
    (C) Les membres du club
    (D) L'audacieux
    (E) Les écoliers

70. Il m'a donné ses livres.
    (A) les
    (B) trois
    (C) ces
    (D) quelques
    (E) siens

71. Cette maison leur appartient.
    (A) m'
    (B) nous
    (C) lui
    (D) vous
    (E) toi

72. Je désire qu'il m'envoie le livre.
    (A) donne
    (B) me prête
    (C) détient
    (D) comprenne
    (E) lise

73. Paul, finis d'étudier, nous allons sortir.
(A) écris plus vite
(B) cesse de parler
(C) ferme la porte
(D) rends le cahier
(E) apprenne

74. Je vais envoyer de la tartine aux enfants.
(A) à ma tante
(B) à tout le monde
(C) aux deux
(D) à lui
(E) à l'un d'eux

75. Il va aux Etats-Unis
(A) en Afrique.
(B) à la plage.
(C) en Algérie.
(D) en Cuba.
(E) au cinéma.

Questions 76 to 100

DIRECTIONS: Each passage is followed by several questions. For each question, select the word or expression which most satisfactorily answers the question or completes the statement.

Turenne, maréchal de France, commanda l'armée française pendant la guerre de Dévolution en 1667 et pendant la guerre de Hollande en 1672. La guerre de Dévolution, entreprise par Louis XIV qui réclamait les Pays-Bas au nom de sa femme Marie-Thérèse, fut très rapidement conduite, et se termina par le traité d'Aix-la Chapelle, qui donnait la Flandre à la France. Turenne mourut au champ d'honneur près de Salzbach en 1675.

Le maréchal Turenne commandait une fois une armée en Allèmagne. Les magistrats de la ville de Francfort jugèrent, par les mouvements de ses troupes, que Turenne se disposait à passer sur leur territoire. Les magistrats firent offrir au maréchal cent mille florins pour l'engager à prendre une autre route. Aux députés chargés de lui faire cette offre Turenne dit: "Je ne puis en conscience accepter votre argent car je n'ai jamais eu l'intention de passer sur votre territoire."

76. Quelle fut la cause de la guerre de Dévolution?
   (A) l'ambition de Turenne
   (B) la conduite de la reine
   (C) les actions des Hollandais
   (D) les provocations des Hollandais
   (E) les prétentions du roi

77. Quel fut un des résultats principaux de la victoire française dans la guerre de Dévolution?
   (A) Aix-la-Chapelle fut réuni à la France.
   (B) Louis XIV épousa Marie-Thérèse.
   (C) La France acquit la Flandre.
   (D) On céda les Pays-Bas à la France.
   (E) Les Hollandais payèrent une forte indemnité.

78. Pourquoi les magistrats de Francfort offrirent-ils de l'argent au maréchal?
   (A) Ils voulaient lui venir en aide.
   (B) Ils craignaient l'entrée en ville de l'armée de Turenne.
   (C) Turenne avait demandé cent mille florins.
   (D) Ils cherchaient à lui faire trahir la France.
   (E) Ils voulaient avoir Turenne de leur côté.

79. Quelle fut la réponse de Turenne aux magistrats de Francfort?
   (A) Il décida de traverser leur territoire.
   (B) Il demanda plus d'argent.
   (C) Il changea de route.
   (D) Il refusa de prendre leur argent.
   (E) Il demanda qu'on lui accorda du temps pour réfléchir.

80. Turenne se révéla un homme
    (A) incorruptible
    (B) malhonnête
    (C) avare
    (D) rusé
    (E) féroce

Sans doute, Guy Périllat a-t-il été le champion le mieux connu du sport français durant les trois dernières années. Tout l'univers a applaudi son succès aux Jeux Olympiques le 24 Février, 1960, le jour de son 20e anniversaire.

Guy est né en Haute-Savoie de marchands d'articles de sport. Depuis l'âge de douze ans, il a fait du ski pour devenir champion de France juniors en 1956, une affaire de travail et d'application pour qui veut réussir une descente de 100 kilomètres-heure.

Grâce à une culture physique solide, il est un des skieurs les mieux musclés, à l'oeil infaillible. Après son service militaire il voudrait s'occuper d'un magasin. Il a perfectionné son anglais en Angleterre et il passe ses soirées à lire "pour se faire peur". Et voilà le sympathique prince châtain des neiges blanches, le champion des skieurs qui s'appelle Guy Périllat.

81. Si Périllat est célèbre dans le monde du sport, c'est parce qu'il
    (A) est né près de la Suisse
    (B) vend des articles de sport
    (C) visite les centres de ski en hiver
    (D) excelle comme descendeur en montagne
    (E) organisa les Jeux Olympiques

82. Il a commencé à exercer son talent
    (A) très jeune
    (B) il y a cinq ou six ans
    (C) à vingt ans
    (D) depuis 1960
    (E) vers la trentaine

83. Quel a été un des moyens pris par Périllat pour gagner ses trophées?
    (A) Il a étudié une langue.
    (B) Il a fait beaucoup de gymnastique.
    (C) Il a lu sérieusement.
    (D) Il a vaincu sa timidité.
    (E) Il ecrivit un roman.

84. Comment Périllat passe-t-il ses moments de repos?
    (A) Il fait des lectures.
    (B) Il monte la garde.
    (C) Il visite des châteaux.
    (D) Il cultive les sciences.
    (E) Il joue aux cartes.

85. Après avoir servi sous les drapeaux, ce jeune athlète a l'intention
    (A) d'épouser Blanche Neige
    (B) de jouer du piano
    (C) de faire du cinéma
    (D) de vivre à l'étranger
    (E) d'entrer dans le commerce

Alexandre le Grand, marchant à la conquête de l'univers, traversait en Asie un grand désert de sable. L'eau vint à manquer; il n'en restait qu'une petite quantité qu'un soldat prit dans son casque et offrit au roi. Mais Alexandre, voyant ses soldats altérés aussi bien que lui, s'écria: "Moi, je boirais seul!" et il jeta l'eau sur la terre.

Remplis d'admiration pour un roi capable d'un tel acte d'abnégation, ses soldats s'écrièrent tous à la fois: "Marchons! nous ne sommes pas fatigués; nous n'avons pas soif; nous nous croyons plus que des mortels sous la conduite d'un si grand roi." L'enthousiasme remplit tous les coeurs; dès ce moment l'armée se crut invincible.

86. Alexandre traversait un désert parce qu'il
    (A) voulait changer l'attitude de ses troupes
    (B) désirait marchander dans tous les coins du monde
    (C) essayait de vaincre tous les pays de son époque
    (D) cherchait de l'eau dans le désert
    (E) s'endureir contre la soif

87. Dans quelle situation l'armée se trouvait-elle?
    (A) On manquait de munitions.
    (B) Les soldats se révoltaient contre leur chef.
    (C) Les soldats avaient besoin de se reposer.
    (D) Les soldats avaient soif.
    (E) On manquait de nourriture.

88. Alexandre eut l'occasion de calmer sa soif quand
    (A) il trouva de l'eau dans la terre
    (B) un soldat lui tendit le peu d'eau qui restait
    (C) ses soldats se disputèrent à cause de lui
    (D) ses soldats étaient loin de lui
    (E) il trouva une gourde sur le sol

89. Quelle fut la décision du roi?
    (A) Il partagea l'eau avec ses soldats.
    (B) Il dit qu'il boirait l'eau tout seul.
    (C) Il fit boire son armée d'abord.
    (D) Il versa l'eau sur le sol.
    (E) Il donna l'eau aux chevaux.

90. Comment les soldats réagirent-ils?
    (A) Ils perdirent tout leur enthousiasme.
    (B) Ils remercièrent leur chef.
    (C) Ils se promirent de vaincre malgré tous les obstacles.
    (D) ILs cessèrent d'admirer leur roi.
    (E) Ils pensaient que le roi était fou.

Le romancier Julien Green est né à Paris en dix-neuf cents. Sa mère était de Georgie et son père venait de Virginie. Bien qu'il apprît l'anglais dans son enfance et qu'il n'ait jamais cessé de le parler, Green préfère écrire ses livres en français. Sa soeur, Anne, au contraire, est une bonne romancière de langue anglaise.

A l'âge de dix-neuf ans, Julien Green s'embarqua pour l'Amérique où il resta près de trois ans. Inscrit à l'Université de Virginie, il suivit des cours de grec, de latin, et d'anglais. Une trentaine d'années plus tard, il devait écrire un roman dont l'action se passe dans une université du sud des États-Unis.

Dans son *Journal* Green avoue qu'il achète trop de livres; il en achète tous les jours, français et anglais. En voyage il apporte généralement cinq ou six livres, même s'il ne part que pour quarante-huit heures. Cela rend ses valises lourdes à porter. Un jour un porteur américain lui dit, en soulevant sa grosse valise: —Il ne peut y avoir dans cette valise qu'un cadavre, de l'alcool, ou des livres.

91. Les parents de Julien Green étaient originaires
   (A) de l'Amérique du Nord
   (B) de l'Amérique du Sud
   (C) de France
   (D) d'Angleterre
   (E) d'Allemagne

92. Cet auteur n'aime pas trop
   (A) voyager
   (B) lire
   (C) écrire en français
   (D) écrire en anglais
   (E) boire de l'alcool

93. A l'université en Amérique Julien Green étudia
   (A) le grec seulement
   (B) le latin et le français
   (C) les langues anciennes et modernes
   (D) l'histoire de l'Amérique du Sud
   (E) l'art d'écrire

94. L'ouvrage auquel on fait allusion dans ce passage parut vers
   (A) 1900
   (B) 1919
   (C) 1930
   (D) 1950
   (E) au début du siècle

95. Qu'est-ce qui fait tellement peser ses valises?
  (A) leurs dimensions
  (B) un cadavre dans l'alcool
  (C) un sac d'or
  (D) des bouteilles de vin
  (E) la quantité de livres

Un monsieur partant pour l'Europe fut assiégé de tous côtés de prières d'acheter quantité d'articles qu'on ne trouve nulle part aussi bons qu'à Paris.

"Faites une petite liste de ce que vous voulez," dit-il, "et je serai heureux de m'en occuper." Chacun fit sa liste; un seul y joignit l'argent nécessaire pour payer les objets demandés. Le voyageur employa l'argent suivant les instructions qu'il avait reçues; il n'acheta rien pour les autres. A son retour, tous vinrent chercher leurs objets, mais ils furent déçus en apprenant qu'un accident l'avait privé du plaisir de remplir leurs commissions.

"Etant sur le pont du navire," leur dit le voyageur, "par une belle matinée, je tirai mon portefeuille pour jeter un coup d'oeil sur vos notes, et pour les mettre en ordre, quand soudain un coup de vent les prit et les emporta à la mer." L'un d'eux reprit, "Je croyais pourtant que vous aviez apporté pour M. un tel tout ce qu'il vous avait demandé."

"C'est vrai," répondit le voyageur, "mais ça été par pure chance, et parce qu'il avait mis dans sa note un peu d'argent dont le poids l'empêcha d'être emportée par-dessus bord."

96. Un monsieur qui allait faire un voyage en Europe
  (A) écrivit le nom des objets dont il avait besoin
  (B) reçut les expressions d'amitié de ses camarades
  (C) reçut des demandes d'acheter des objets à l'étranger
  (D) entendit des prières d'aller seulement à Paris
  (E) fut comblé de cadeaux

97. Le monsieur dit à ses amis
  (A) qu'ils devaient préparer un mémorandum
  (B) qu'il était content d'aller à Paris
  (C) qu'il était très préoccupé
  (D) qu'il désirait de l'argent
  (E) qu'il n'achéterait rien

98. Que fit ensuite le voyageur?
   (A) Il acheta tout ce qu'on avait demandé.
   (B) Il détruisit les listes.
   (C) Il ignora toutes les commandes.
   (D) Il se fit envoyer l'argent par la poste.
   (E) Il fit une des emplettes.

99. A son retour, il dit à ses amis
   (A) qu'il avait oublié leurs commissions
   (B) qu'il n'avait pas eu assez d'argent
   (C) qu'il avait perdu certaines listes
   (D) que son portefeuille avait disparu
   (E) que ceux-ci lui devaient de l'argent

100. Pourquoi M. un tel reçut-il ses achats?
   (A) Il disait toujours la vérité.
   (B) Il avait risqué le mauvais temps.
   (C) Il avait préparé la meilleure liste.
   (D) Il avait payé d'avance.
   (E) C'était un monsieur aimable.

**The French Achievement Test (Sample 9)
Is Now Over.**

After One Hour, Stop All Work.

ANSWER KEY TO TEST 9

1.	E	26.	B	51.	C	76.	E
2.	B	27.	B	52.	D	77.	C
3.	B	28.	A	53.	D	78.	B
4.	E	29.	C	54.	A	79.	D
5.	A	30.	A	55.	B	80.	A
6.	C	31.	B	56.	D	81.	D
7.	A	32.	A	57.	C	82.	A
8.	A	33.	B	58.	B	83.	B
9.	C	34.	C	59.	C	84.	A
10.	E	35.	A	60.	D	85.	E
11.	C	36.	A	61.	E	86.	C
12.	C	37.	E	62.	E	87.	D
13.	C	38.	B	63.	D	88.	B
14.	A	39.	E	64.	C	89.	D
15.	A	40.	E	65.	B	90.	C
16.	B	41.	C	66.	E	91.	A
17.	A	42.	A	67.	E	92.	D
18.	A	43.	B	68.	A	93.	C
19.	C	44.	D	69.	D	94.	D
20.	A	45.	A	70.	E	95.	E
21.	E	46.	B	71.	E	96.	C
22.	B	47.	C	72.	C	97.	A
23.	B	48.	A	73.	E	98.	E
24.	D	49.	B	74.	D	99.	C
25.	C	50.	B	75.	D	100.	D

ANSWER SHEET TEST 10

1	A	B	C	D	E	26	A	B	C	D	E	51	A	B	C	D	E	76	A	B	C	D	E
2	A	B	C	D	E	27	A	B	C	D	E	52	A	B	C	D	E	77	A	B	C	D	E
3	A	B	C	D	E	28	A	B	C	D	E	53	A	B	C	D	E	78	A	B	C	D	E
4	A	B	C	D	E	29	A	B	C	D	E	54	A	B	C	D	E	79	A	B	C	D	E
5	A	B	C	D	E	30	A	B	C	D	E	55	A	B	C	D	E	80	A	B	C	D	E
6	A	B	C	D	E	31	A	B	C	D	E	56	A	B	C	D	E	81	A	B	C	D	E
7	A	B	C	D	E	32	A	B	C	D	E	57	A	B	C	D	E	82	A	B	C	D	E
8	A	B	C	D	E	33	A	B	C	D	E	58	A	B	C	D	E	83	A	B	C	D	E
9	A	B	C	D	E	34	A	B	C	D	E	59	A	B	C	D	E	84	A	B	C	D	E
10	A	B	C	D	E	35	A	B	C	D	E	60	A	B	C	D	E	85	A	B	C	D	E
11	A	B	C	D	E	36	A	B	C	D	E	61	A	B	C	D	E	86	A	B	C	D	E
12	A	B	C	D	E	37	A	B	C	D	E	62	A	B	C	D	E	87	A	B	C	D	E
13	A	B	C	D	E	38	A	B	C	D	E	63	A	B	C	D	E	88	A	B	C	D	E
14	A	B	C	D	E	39	A	B	C	D	E	64	A	B	C	D	E	89	A	B	C	D	E
15	A	B	C	D	E	40	A	B	C	D	E	65	A	B	C	D	E	90	A	B	C	D	E
16	A	B	C	D	E	41	A	B	C	D	E	66	A	B	C	D	E	91	A	B	C	D	E
17	A	B	C	D	E	42	A	B	C	D	E	67	A	B	C	D	E	92	A	B	C	D	E
18	A	B	C	D	E	43	A	B	C	D	E	68	A	B	C	D	E	93	A	B	C	D	E
19	A	B	C	D	E	44	A	B	C	D	E	69	A	B	C	D	E	94	A	B	C	D	E
20	A	B	C	D	E	45	A	B	C	D	E	70	A	B	C	D	E	95	A	B	C	D	E
21	A	B	C	D	E	46	A	B	C	D	E	71	A	B	C	D	E	96	A	B	C	D	E
22	A	B	C	D	E	47	A	B	C	D	E	72	A	B	C	D	E	97	A	B	C	D	E
23	A	B	C	D	E	48	A	B	C	D	E	73	A	B	C	D	E	98	A	B	C	D	E
24	A	B	C	D	E	49	A	B	C	D	E	74	A	B	C	D	E	99	A	B	C	D	E
25	A	B	C	D	E	50	A	B	C	D	E	75	A	B	C	D	E	100	A	B	C	D	E

French Achievement Test

Sample 10

Time: one hour

Questions 1 to 30

DIRECTIONS: In each question, a situation is first presented. Select from the five choices that choice which is the most appropriate response to the situation given.

1. Le monsieur qui vient de s'apercevoir que sa montre est en retard se dit:
   (A) C'est drôle; j'avais la bonne heure ce matin.
   (B) C'est une bonne montre; elle m'a coûté une fortune.
   (C) Je vais le lui montrer.
   (D) Je n'arriverai pas en retard au bureau.
   (E) J'ai oublié ma montre à la maison.

2. Les avions ennemis s'approchent de la ville. Un bombardement est imminent. Par communiqué à la radio, les autorités demandent aux habitants:
   (A) de mettre leurs manteaux.
   (B) de ne pas faire de bruit.
   (C) d'aller faire une promenade.
   (D) de gagner les abris au plus vite.
   (E) de jouer du violon.

3. Le jour des élections, le gouvernement demande aux citoyens:
   (A) de ne pas aller à l'urne.
   (B) de ne pas sortir de chez eux.
   (C) de lire des romans.
   (D) de préparer leurs armes.
   (E) de ne pas manquer de déposer leurs bulletins.

4. Le monsieur qui va voyager en bateau se plaint parce qu'il:
   (A) n'a pas le pied marin.
   (B) préfère voyager à pied.
   (C) n'a jamais été en mer.
   (D) est végétarien.
   (E) est marin.

5. Il semble qu'il va pleuvoir. Monsieur Dupont et sa femme se préparent à sortir. Dupont dit à sa femme:
   (A) On voit que l'hiver arrive.
   (B) Il serait prudent de prendre nos parapluies.
   (C) Il faudra faire réparer demain l'appareil de T.S.F.
   (D) Cela ne sert à rien de pleurer.
   (E) Quelle belle journée!

6. Le pêcheur qui est revenu bredouille, se console en disant:
   (A) La prochaine fois je serai en veine.
   (B) Il n'y a rien à faire; je serai un bon pêcheur.
   (C) Il va pleuvoir; rentrons à la maison.
   (D) Je suis furieux.
   (E) On ne me reprendra plus à pêcher.

7. Un enfant se trouve dans l'obscurité; il a peur. Pour se donner du courage, il se dit:
   (A) Je n'aurais jamais dû venir seul.
   (B) Mon Dieu! Que j'air peur.
   (C) Il y a sûrement un voleur caché dans la chambre.
   (D) Cela y est! Je suis perdu
   (E) Je dois me conduire comme un brave petit garçon.

8. Le mari éploré vient d'enterrer sa femme. Il dit:
   (A) Au moins je n'aurai plus à m'inquièter de sa belle-mère.
   (B) Allons prendre un verre de vin.
   (C) Le spectacle commence à une heure.
   (D) Le roi est mort; vive le roi.
   (E) Ah! Ma pauvre Adèle, je ne te reverrai plus.

9. Le boucher qui désire que le client achète sa marchandise s'exprime ainsi:
   (A) L'animal a été abattu depuis une semaine.
   (B) Je n'ai jamais vu rien d'aussi dur.
   (C) C'est de la viande fraîche, monsieur.
   (D) Le prix de la viande a encore monté.
   (E) Je crois qu'il est temps d'aller chez vous.

10. Un monsieur qui a eu un accident de voiture, essaie de se disculper en disant:
   (A) L'accident a été causé par le conducteur de l'autre voiture.
   (B) Je faisais du cent à l'heure.
   (C) Je dois acheter une voiture blindée.
   (D) J'étais distrait.
   (E) Ma voiture est une 40 C.V.

11. Un incendie vient d'éclater: ceux qui sont présents:
   (A) avertissent les pompiers.
   (B) essaient d'éteindre le feu sans aide.
   (C) se réjouissent d'un beau spectacle.
   (D) continuent à causer.
   (E) se plaignent de la chaleur.

12. Quand on veut aller à l'Odéon, on achète:
   (A) un billet
   (B) un cahier
   (C) une clef
   (D) un dossier
   (E) un fauteuil

13. Au spectacle celui qui s'assied dans un fauteuil d'orchestre est:
   (A) Un musicien qui s'assied entre la scène et le public.
   (B) un spectateur assis au rez-de-chaussée.
   (C) le chef d'orchestre.
   (D) le souffleur.
   (E) un spectateur qui n'a pas payé.

14. En général on va à l'église ________ .
    (A) pour manger du pain
    (B) pour admirer les oeuvres d'art
    (C) pour prier
    (D) pour causer avec le prêtre
    (E) pour boire du vin

15. Il vient de neiger; la plupart de ceux qui habitent le quartier ________ .
    (A) jouent à la balle sur le trottoir
    (B) nettoient l'entrée de leur maison
    (C) mettent leur maillot de bain
    (D) sortent en voiture
    (E) vont à la messe

16. Si quelqu'un vous demande "A quelle heure vous réveillez-vous le matin", vous lui répondez:
    (A) chaque semaine.
    (B) en hiver.
    (C) très tôt.
    (D) en allant au travail.
    (E) Je suis sorti hier.

17. Pour se faire la barbe, on doit avoir ________ .
    (A) du savon
    (B) des gants
    (C) une pêle
    (D) un raseur
    (E) un sécateur

18. Quand on est à la campagne, on ________ .
    (A) entend beaucoup de bruit
    (B) est très content
    (C) fait beaucoup de culture physique
    (D) va à la chasse
    (E) respire de l'air pur

19. Vous allez vous habiller; vous avez besoin d'__________
(A) une plume
(B) une panetière
(C) un patin
(D) un couteau
(E) une chemise

20. Jules mange au restaurant et constate qu'il n'a pas de fourchettes; il dit au garçon:
(A) Apportez-moi un cure-dent.
(B) On est vraiment bien servi.
(C) Apportez-moi l'addition.
(D) Le couvert n'est pas bien mis.
(E) Je reviendrai la semaine prochaine.

21. Une grosse voiture consomme beaucoup __________ .
(A) de charbon
(B) de sang
(C) d'essence
(D) d'huile
(E) d'eau

22. Nous irons nous __________ ce soir en voiture.
(A) baigner
(B) étonner
(C) promener
(D) raser
(E) refaire

23. Le voyageur qui arrive à New-York pour la première fois, est émerveillé par la vue __________ .
(A) du ciel
(B) des arbres
(C) du paysage
(D) des gratte-ciel
(E) des oiseaux

24. Quand on a fini de se laver les mains, on doit les sécher avec ________ .
    (A) une roulette
    (B) un drap
    (C) une assiette
    (D) une serviette
    (E) un sachet

25. Vous allez à poste et vous dites à l'employé:
    (A) Donnez-moi de ce tissu.
    (B) Je désire changer un chèque.
    (C) Veuillez me livrer la marchandise à domicile.
    (D) Vos prix sont trop élevés.
    (E) Deux timbres de cinq sous, s'il vous plaît.

26. Nous ________ à la maison aujourd'hui.
    (A) ruinerons
    (B) chasserons
    (C) voterons
    (D) gagnerons
    (E) dînerons

27. Nous allons monter sur notre bateau pour ________ sur l'océan.
    (A) conduire
    (B) tourner
    (C) voler
    (D) discourir
    (E) naviguer

28. ________ est un condiment d'usage courant.
    (A) L'alcool
    (B) L'opium
    (C) Le sel
    (D) La chaux
    (E) Le chlore

29. Le libraire __________ des livres.
    (A) loue
    (B) imprime
    (C) vend
    (D) distribue
    (E) corrige

30. Monsieur et madame Dupont vont à la mer. Monsieur Dupont dit à sa femme:
    (A) Mets du bois dans la cheminée.
    (B) Est-ce-que tu as pris les billets?
    (C) N'oublie pas de prendre les bouées de sauvetage.
    (D) Apporte des vêtements chauds.
    (E) Nous allons faire de l'alpinisme.

Questions 31 to 50

DIRECTIONS: Each sentence or paragraph contains blank spaces. Under each blank space there are five choices. Select that choice which fits in correctly with the context of the sentence or paragraph. A blank space for choice (A) means that there is no insertion for this choice.

Il __________ dans le sud __________ . Sa mère y était

31.		32.		33.	
(A)	naît	(A)	dans France	(A)	allé
(B)	naîssait	(B)	à la France	(B)	allées
(C)	naîtra	(C)	en France	(C)	allant
(D)	naquit	(D)	de la France	(D)	allés
(E)	naîs	(E)	au France	(E)	allée

dans l'espoir __________ l'air pur de __________ région

34.		35.	
(A)	quand	(A)	ce
(B)	que	(B)	cet
(C)	qui	(C)	ces
(D)	quoi	(D)	ses
(E)	quel	(E)	cette

rétablirait sa santé. Mais ________ cela ________

36. (A) ____
(B) en
(C) de
(D) par
(E) rien

37. (A) ni
(B) ne
(C) peu
(D) jamais
(E) nullement

lui réussit pas. Elle mourut peu ________ de temps après

38. (A) ____
(B) sur
(C) cela
(D) ci
(E) lâ

la naissance de son fils. La maison ________

39. (A) dans lequel
(B) dans laquelle
(C) dans lesquels
(D) là
(E) ici

elle rendit le dernier soupir, attire ________ année de

40. (A) chaque
(B) toute
(C) l'
(D) par
(E) chacune

________ visiteurs. Il ________

41. (A) numereux
(B) numereuse
(C) nombreux
(D) nombreuses
(E) numereuses

42. (A) fut
(B) fasse
(C) fit
(D) ferait
(E) faisais

ses études __________ Angleterre. __________

43. (A) en
    (B) aux
    (C) dans l'
    (D) au
    (E) l'

44. (A) Quoiqu'
    (B) quelqu'
    (C) Quoi qu'
    (D) Quel qu'
    (E) quoi que

on __________ il fut un étudiant __________.

45. (A) dit
    (B) dise
    (C) dis
    (D) dites
    (E) disent

46. (A) ayant brillé
    (B) brillants
    (C) brillant
    (D) étant brillé
    (E) brillent

Certaines __________ qu' __________ a répandues

47. (A) rumeur
    (B) faits
    (C) idée
    (D) mensonges
    (E) informations

48. (A) ils
    (B) lui
    (C) on
    (D) eux
    (E) elle

à son sujet, sont __________ de tout fondement.

49. (A) dénuées
    (B) dépourvus
    (C) dénués
    (D) dénuée
    (E) dénué

Mais cela ne __________ put ternir sa gloire.

50. (A) _____
    (B) jamais
    (C) nullement
    (D) en aucune façon
    (E) en rien

Questions 51 to 75

DIRECTIONS: Each question consists of a sentence, part of which is underlined. From the five choices, select the one which, gramatically, could not *properly replace the underlined word or words in the sentence.*

51. On ne le voit pas souvent dans les rues.
    (A) Le facteur
    (B) Il
    (C) Elle
    (D) Son père
    (E) Personne

52. J'observe le ciel couvert de nuages.
    (A) à midi.
    (B) quand je vais à l'école.
    (C) pour voir s'il va pleuvoir.
    (D) souvent.
    (E) l'année dernière.

53. Il ne l'a pas encore compris.
    (A) entendu
    (B) remis.
    (C) soulevé
    (D) écrit
    (E) dis

54. Je ne saurais me ranger à votre avis.
    (A) Je vais
    (B) Je ne peux
    (C) Je dois
    (D) J'espère
    (E) Il m'est impossible

55. Nous nous sommes lavés
    (A) Ils se sont
    (B) Paul et Pierre se sont
    (C) Vous vous êtes
    (D) Elles se sont
    (E) La plupart des hommes se sont

56. Les hommes qu'on a jugés, n'étaient pas coupables.
(A) Les soldats
(B) Les nombreux marins
(C) Les cordonniers
(D) Les femmes
(E) Les détenus

57. Il viendra quand je partirai.
(A) je chanterai.
(B) vous partez.
(C) vous partirez.
(D) ma tante viendra.
(E) il sera là.

58. Je regrette qu'il soit venu.
(A) qu'il parte.
(B) que je ne l'aie pas vu.
(C) qu'il l'ait dit.
(D) qu'il ne s'en soit pas aperçu.
(E) qu'il n'est pas allé.

59. Il a envie de le voir.
(A) Il me prie
(B) Il m'a supplié
(C) Il a accepté
(D) Il insiste
(E) Il refuse

60. Les jeunes filles ont mangé ce matin.
(A) chanté
(B) couru
(C) attendu
(D) dansé
(E) finis

61. Qu'on l'envoie tout de suite.
(A) y va
(B) le lui donne
(C) le pousse
(D) le descende
(E) le tourne

62. Il m'a prêté <u>ses</u> livres.
    (A) les
    (B) ces
    (C) siens
    (D) trois
    (E) plusieurs

63. Quoi que <u>tu aies fait, tu ne seras pas puni.</u>
    (A) tu promettes, tu ne partiras pas.
    (B) tu dises de lui, je ne changerai pas d'avis.
    (C) tu lui donnes, il ne sera pas reconnaissant.
    (D) tu fasses, cela ne servira à rien.
    (E) je vois, je n'en dirai rien.

64. Je tiens à ce <u>qu'il annonce la nouvelle.</u>
    (A) qu'il écrive
    (B) que tout soit prêt.
    (C) qu'il met tout en ordre.
    (D) que personne ne vienne.
    (E) que vous partiez ce soir.

65. C'est demain <u>que je pars.</u>
    (A) que je vais voter.
    (B) qu'il vienne.
    (C) que je viendrai.
    (D) qu'il arrive.
    (E) que je m'inscris.

66. Je ne connais personne qui <u>puisse vous dire la vérité.</u>
    (A) l'ait vu.
    (B) chante aussi bien.
    (C) soit aussi instruit.
    (D) va aussi vite.
    (E) boive tant de vin.

67. <u>Ils</u> arrivent ce soir.
    (A) Les pompiers
    (B) Les joueurs
    (C) La plupart
    (D) Georges
    (E) Plusieurs

68. Pierre, retourne chez toi; je t'en prie.
(A) va plus vite
(B) finis cette histoire
(C) donnez-moi de l'argent.
(D) viens me voir
(E) dis-le à ta maman

69. Il est certain qu'il nous visite ce matin.
(A) qu'il nous écrit
(B) que les enfants sortent
(C) qu'on a battu Jules
(D) que je parte
(E) qu'ils viennent

70. Je vous préviens que cela ne me fait pas plaisir.
(A) que je ne suis pas content.
(B) que je n'aime pas ce jeune homme.
(C) pour la dernière fois.
(D) que je ne puisse rien faire.
(E) que je ne le soutiendrai pas.

71. Je ne comprends pas les idées sur lesquelles il se base.
(A) dont il s'est fait le champion.
(B) de ce livre.
(C) qu'il défend.
(D) exposées dans cette revue.
(E) de qui il a parlé.

72. Je prends l'avion, ce soir, pour aller au Canada.
(A) en Egypte
(B) en Suède
(C) au Japon
(D) à Cuba
(E) à Haiti

73. Les effets ont été transportés à la gare.
(A) Les chaussures
(B) Les souliers
(C) Les livres
(D) Les bagages
(E) Les colis

74. Je lui ai envoyé <u>un</u> couteau.
    (A) le
    (B) son
    (C) du
    (D) ce
    (E) mon

75. Il est peu probable <u>qu'il s'en souvient.</u>
    (A) qu'il sera jugé.
    (B) qu'il est avocat.
    (C) qu'il viendra hier.
    (D) qu'il s'en tire.
    (E) qu'il se tire d'affaire.

Questions 76 to 100

DIRECTIONS: Each passage is followed by several questions. For each question, select the word or expression which most satisfactorily answers the question or completes the statement.

Le jour de l'examen du certificat d'études approchait. M. Rambourg présentait neuf candidats qu'il faisait travailler de sept heures du matin à six heures du soir. Le matin, il donnait du travail pour la journée aux autres élèves en leur recommandant de ne pas lever le nez; cependant, ils avaient la permission de rire des candidats, au commandement du maître. Ce procédé devait stimuler les concurrents.

Après les dictées et les problèmes venaient les interrogations de français, d'histoire et de géographie. Les élèves savaient par coeur tous les résumés de leurs petits manuels.

M. Rambourg travailla tant que ses neuf élèves furent reçus au certificat d'études, l'un avec le numéro un, un autre avec le numéro trois. Le soir de l'examen il y avait foule à la gare pour les attendre. Les enfants sautèrent joyeusement hors des compartiments, et les parents riaient. On entourait M. Rambourg, rayonnant, on le félicitait. et dans le village en fête, on chantait la gloire du maître d'école.

76. Pour préparer ses candidats à l'examen, le professeur
    (A) leur donnait des vitamines
    (B) les laissait travailler par eux-mêmes
    (C) leur permettait de perdre leur temps
    (D) leur lisait des histoires drôles
    (E) les obligeait à étudier énormément

77. Les autres élèves aidaient les candidats en
    (A) leur posant des questions
    (B) leur soufflant les réponses
    (C) se moquant d'eux
    (D) leur prêtant des livres
    (E) en corrigant leurs erreurs

78. Cette méthode d'apprendre était surtout
    (A) de tout réciter en groupe
    (B) de se servir de la mémoire
    (C) d'associer certaines idées générales
    (D) de faire des raisonnements subtils
    (E) de tout copier

79. Que font les habitants du village pour partager le succès des écoliers?
    (A) Ils les envoient en voyage.
    (B) Ils les attendent à la maison.
    (C) Ils viennent les rencontrer au train.
    (D) Ils les font travailler toute la journée.
    (E) On tire des feux d'artifice.

80. Quelle est l'attitude des parents envers le maître d'école?
    (A) Ils lui offrent un cadeau.
    (B) Ils restent indifférents.
    (C) Ils le critiquent sévèrement.
    (D) Il le trouvent très bon professeur.
    (E) Ils l'embrassent.

Albert Schweitzer, docteur en philosophie, en théologie, et en médecine est né en Alsace en 1875. Il devint prédicateur à l'Église Saint-Nicolas à Strasbourg. Pendant dix ans, de 1902 à 1912, il fut organiste de la Société Jean-Sébastien Bach. En apprenant que la Société des Missions Evangéliques à Paris avait besoin d'hommes pour son oeuvre en Afrique, il décida d'étudier la médecine pour secourir, comme médecin, la population indigène. Fondateur, en 1913, de l'hôpital de Lambarene dans l'Afrique Equatoriale Française, il le diriga. En 1952 il a reçu le Prix Nobel de la Paix. Dans toutes ses activités le docteur Schweitzer s'efforce de respecter la vie. C'est pour cela qu'il soigne les malades et qu'il cherche à guérir la population indigène d'un maladie sans microbes, la peur. Les Africains sont craintifs devant les forces de la nature; il faut les calmer, leur rendre confiance. Le docteur Schweitzer nous donne le grand secret du bonheur humain: aimer et se rendre utile.

81. Le docteur Schweitzer est médecin, théologien, philosophe et
    - (A) avocat
    - (B) musicien
    - (C) ingénieur
    - (D) homme d'état
    - (E) soldat

82. Selon le docteur Schweitzer qu'est-ce qu'il faut pour être heureux?
    - (A) recevoir des prix
    - (B) être renommé partout
    - (C) vivre en égoiste
    - (D) faire du bien aux autres
    - (E) avoir beaucoup d'argent

83. Qu'est-ce qui est arrivé à Schweitzer après beaucoup d'années en Afrique?
    - (A) Il a guéri presque tous les malades.
    - (B) Il a découvert la cause d'une maladie africaine.
    - (C) On lui a accordé un des plus grands honneurs du monde.
    - (D) La peur l'a forcé à abandonner ses projets.
    - (E) Il a fait imprimer des livres pour les indigènes.

84. Sur quel principe est fondée la philosophie du docteur Schweitzer?
    (A) La nature nous comble de malheurs.
    (B) On doit attacher une grande valeur à la vie.
    (C) On trouve rarement ce qu'on cherche.
    (D) La peur fait naître l'espérance.
    (E) Il faut beaucoup s'amuser.

85. Quel sentiment les Africains éprouvent-ils devant la nature?
    (A) Ils ont peur.
    (B) Ils sont orgueilleux.
    (C) Ils restent indifférents.
    (D) Il se croient tout-puissants.
    (E) Ils sont pleins de joie.

De gros poissons, engagés près de la plage dans une eau trop peu profonde, pris par la vague, s'en vinrent rouler jusque sur le sable sec. Les hommes de Cavelier ramassèrent ainsi, palpitants, et les ouies battantes, plusieurs gros poissons. Volontiers le normand Sager, que Rober Cavelier avait engagé pour lui servir de serviteur, aurait crié au miracle. Mais les Indiens expliquèrent qu'il s'agissait d'un phénomène naturel et fréquent. Ils montrèrent, tout le long de la plage, les squelettes de milliers de poissons, qui, surpris par la tempête, et poussés sur les basfonds, avaient été dévorés par les insectes, ou par les aigles des bords des lacs.

86. Pourquoi les poissons ne pouvaient-ils plus nager?
    (A) Ils étaient trop lourds.
    (B) Les eaux de la mer s'élevaient.
    (C) L'eau était trop chaude.
    (D) Ils étaient trop fatigués.
    (E) Ils s'étaient avancés trop près de la côte.

87. Que firent les compagnons de Robert Cavelier?
    (A) Ils virent sans émotion les poissons se débattre.
    (B) Ils remirent les poissons à l'eau.
    (C) Ils emportèrent les poissons.
    (D) Ils restèrent immobiles devant ce spectacle extraordinaire.
    (E) Ils s'en allèrent chercher des seaux.

88. L'auteur indique que le normand Sager
    (A) était un grand siegneur
    (B) avait déjà vu chose pareille dans son pays
    (C) trouvait cet événement normal
    (D) croyait aux faits surnaturels
    (E) était un pêcheur de beaucoup d'expérience

89. Les indigènes savaient que ce fait
    (A) était exceptionnel
    (B) n'avait rien d'extraordinaire
    (C) restait inexplicable
    (D) offrait quelque chose d'anormal
    (E) annonçait de grands malheurs

90. A la suite d'un tempête, qu'est-ce qui arrivait?
    (A) De nombreux poissons mouraient
    (B) Les oiseaux mangeaient les mouches.
    (C) Les sauvages étaient très agités.
    (D) Beaucoup d'hommes se sauvaient en criant.
    (E) Les poissons palpitaient.

Un empereur du Japon avait rassemblé dans son palais vingt vases de porcelaine, les plus beaux qui fussent alors dans tout son empire. Or, il arriva qu'un officier en brisa un par inattention. L'Empereur entra dans une violente colère et ordonna que le coupable fût mis à mort. Le lendemain, au moment où la sentence allait être exécutée, un très vieux Brahmane qui marchait péniblement à l'aide d'un bâton se présenta dans le palais. —Seigneur, dit-il, je possède un secret pour réparer le vase brisé. A peine le Brahmane est-il en présence des dix-neuf vases qui restent que, d'un coup violent de son bâton, il les renverse tous sur le sol où ils se brisent en mille pièces.

—Misérable, qu'as-tu fait? s'écrie l'Empereur.

—J'ai fait mon devoir, répond tranquillement le Brahmane. Chacun de ces vases aurait pu coûter la vie à un de vos sujets. Qu'il vous suffise de prendre la mienne.

L'Empereur fut frappé de la sagesse de ces paroles.

—Vieillard, dit-il, tu as raison; tous ces vases dorés sont moins précieux que la vie d'une créature humaine.

Et il eut pitié du maladroit officier et du courageux Brahmane.

91. Que fit le monarque quand l'officier maladroit brisa un des vases précieux?
 (A) Il frappa l'officier.
 (B) Il bannit l'officier du royaume.
 (C) Il condamna l'officier à mourir.
 (D) Il entra dans le palais.
 (E) Il lui pardonna.

92. Comment marchait le vieillard?
 (A) difficilement
 (B) rapidement
 (C) sans aucune aide
 (D) d'un pas léger
 (E) avec élégance

93. Que fit le Brahmane, à peine arrivé devant les objets d'art?
 (A) Il emporta le vase brisé.
 (B) Il brisa dix-neuf vases.
 (C) Il brisa son bâton en mille pièces.
 (D) Il renversa l'Empereur.
 (E) Il demanda la grâce de l'officier.

94. Le Brahmane convainquit l'Empereur
 (A) que les vases de porcelaine sont aussi beaux que les vases dorés
 (B) que l'Empereur avait raison
 (C) que l'officier maladroit était courageux
 (D) que l'officier avait brisé tous les vases
 (E) qu'une vie humaine vaut plus qu'un vase

95. Comment se termine cette anecdote
 (A) L'Empereur pardonna au Brahmane mais pas à l'officier.
 (B) L'Empereur pardonna à tous les deux
 (C) L'Empereur félicita l'officier do son courage.
 (D) L'Empereur remercia l'officier.
 (E) Le vieillard fut condamné à mort.

Après avoir traversé la rue des Fontaines, elle crut distinguer derrière elle le pas lourd et ferme d'un homme. Elle s'effraya et essaya d'aller plus vite afin d'arriver à une boutique assez bien éclairée. Aussitôt qu'elle se trouva dans la lumière, elle retourna brusquement la tête, et aperçut une forme humaine dans le brouillard; cette indistincte vision lui suffit. Elle se rendit compte alors qu'elle avait été escortée par l'inconnu depuis le premier pas qu'elle avait fait hors de chez elle, et le désir d'échapper à cet individu lui prêta des forces. Incapable de raisonner, elle hâta les pas, comme si elle pouvait fuir un homme nécessairement plus agile qu'elle. Après avoir couru pendant quelques minutes, elle parvint à la boutique d'un boulanger, y entra, et tomba, plutôt qu'elle ne s'assit, sur une chaise.

96. Pourquoi la dame avait-elle peur?
    (A) Elle avait vu passer un fermier à toute vitesse.
    (B) Elle ne voyait personne dans la rue.
    (C) Un bouquiniste la suivait des yeux avec colère.
    (D) Un homme semblait marcher derrière elle.
    (E) Elle avait beaucoup d'argent dans son sac.

97. Que distingua-t-elle dans la brume?
    (A) la silhouette d'une personne
    (B) un personnage céleste
    (C) un soldat étranger avec un briquet
    (D) un homme qui avait perdu la raison
    (E) une lumière éblouissante

98. Qu'est-ce qui la força de courir?
    (A) Elle craignait la pluie.
    (B) Elle avait peur d'être en retard.
    (C) Elle se sentait poursuivie.
    (D) Elle avait besoin de pain.
    (E) Elle se sentait fatiguée.

99. Elle fut convaincue que quelqu'un
    (A) fuyait la justice
    (B) l'avait suivie assez longtemps
    (C) désirait l'aider
    (D) voulait passer devant elle
    (E) voulait lui faire du mal

100. Comment résolut-elle son problème?
    (A) Elle rentra vite chez elle.
    (B) Elle appela un agent.
    (A) Elle se cacha dans le brouillard.
    (D) Elle se fit accompagner.
    (E) Elle alla chercher refuge dans une boulangerie.

The French Achievement Test (Sample 10) Is Now Over.
After One Hour, Stop All Work.

ANSWER KEY TO TEST 10

1.	A	26.	E	51.	E	76.	E
2.	D	27.	E	52.	E	77.	C
3.	E	28.	C	53.	E	78.	B
4.	A	29.	C	54.	E	79.	C
5.	B	30.	C	55.	D	80.	D
6.	A	31.	D	56.	D	81.	B
7.	E	32.	D	57.	B	82.	D
8.	E	33.	E	58.	E	83.	C
9.	C	34.	B	59.	D	84.	B
10.	A	35.	E	60.	E	85.	A
11.	A	36.	A	61.	A	86.	E
12.	A	37.	B	62.	C	87.	C
13.	B	38.	A	63.	E	88.	D
14.	C	39.	B	64.	C	89.	B
15.	B	40.	A	65.	B	90.	A
16.	C	41.	C	66.	D	91.	C
17.	A	42.	C	67.	D	92.	A
18.	E	43.	A	68.	C	93.	B
19.	E	44.	C	69.	D	94.	E
20.	D	45.	B	70.	D	95.	B
21.	C	46.	C	71.	E	96.	D
22.	C	47.	E	72.	E	97.	A
23.	D	48.	C	73.	A	98.	C
24.	D	49.	A	74.	C	99.	B
25.	E	50.	A	75.	C	100.	E